翻轉學

翻轉學

齋藤孝——著
鍾嘉惠——譯

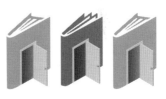

読書する人だけがたどり着ける場所

# 只有讀書能抵達的境界

雖然知識、資訊唾手可得，但只有「閱讀一本書」的過程，
才能鍛鍊思考力、人格與素養

# 目錄

養成「影像化」的習慣
試著用「作者的眼睛」觀看事物
設定「作者月」，不斷換「浸泡對象」
挖掘「精神文化」，讓我們變強大
讀到頭腦發昏，也是深度閱讀

# 第3章 加深思考力的閱讀

## 04 藉由閱讀鍛鍊思考力

與自己的經驗連結
投入情感閱讀
「讀後感」可以看出思想的深淺
深化思考的「對話」、「短評」的活用法
試著為讀過的書寫推薦文
選出三個自己喜歡的文句
面對作者也要吐槽

# 第4章 深化知識的閱讀

## 第7章　如何閱讀艱澀的書？

推薦序

# 文字有神，讓我們心想事成

——許維真 Metta，《利他存摺》作者

能在同時間，跨領域、跨性別、跨年代，穿越跟很多人「神交」，重點是不用配合對方時間，這不是魔法幻術，現實世界只有讀書才可以抵達的境界，而且投資效益CP值很高。

對於一直喜歡閱讀與分享實作的我，真的很喜歡這本書的書名，也因為在奔三之前，人生新手村的我受惠於很多國內外書籍作者，這些書如同我的各領域戰友全方面陪伴我，包含後來環遊世界後遇到適合的伴侶，順利開了小公司，出書，二〇一六年經營自媒體延伸出來的訂閱服務年年破百萬等，這是我在網路回答超過一萬個以上網

友，以及大量實作書籍後持續推廣的價值觀：

「每本書都可以解決某個人生階段的某個課題。」

「資訊應該流到需要的人身邊。」

所以我很認同作者提到的許多概念，同時我想補充的是，很多人看了很多書卻依然沒有改變自己的人生或過不好，差異點是在於是否有「實作」，也就是書中提到「輸出」的部分，懂很多學很多沒有去嘗試是很可惜的，我們來到地球就好像人生RPG角色扮演遊戲一樣，可以多使用不同的攻略玩法不是嗎？（笑）

我很謝謝各領域前輩所寫的書，讓我一路破關，到現在關關難過關關過。目前可以過著看自己喜歡的書，又過得挺滋潤的我，除了感謝，自己寫書也是一種想回饋社會的初心。我身為愛看書的人，也是寫書的人，因為看書的人不多了，所以我在寫書時，反而不會留一手地分享，抱持著「反正只會讓有緣的人看到」的心態。

同時，我也很喜歡跟我的讀者討論跨領域觀點，以書會友常常會串起很多有趣的緣分與跨界的靈感，所以如果你看完這本書覺得很棒的話，也可以跟作者或出版社交流討論！這也是我超過十年以上的習慣之一（另類的弱連結人脈建立法）。

我也相信文字跟語言都是有神靈的力量，在對立紛爭不斷的現實世界，也希望我們的言語可以成為有緣相遇的禮物，能透過文字在心靈，環遊世界真的是很幸福。

**這也是只有讀「書」能抵達的境界，我相信文字有神，並且讓我們心想事成，書就是作者創造的世界，並且邀請我們進入他的樂園。**

推薦序

# 懂得讀書，才能豐富人生

——劉奕酉，知識型自雇者與暢銷書作家

齊藤孝出版過許多學習、讀書的著作，也一再強調讀書的樂趣與重要性。他認為，讀書可以發生改變、帶來前進的力量，但隨著內容型態的改變，我們所接觸到的資訊既多、又亂所以不只要讀書，更要懂得如何讀書。

學習如何讀書、懂得如何抓住每一本書的本質，將每一個知識點串連成線、編織成面不只能深化我們的知識、思考與人格，也能使我們對人生有更深刻的感受。

讀書能增長見識，但懂得讀書才能豐富我們的人生。學習如何學習、閱讀如何閱讀，我想《只有讀「書」能抵達的境界》正是一本這樣的書。

推薦序

# 強化體驗、促進思考，從讀書開始

——鄭緯筌 Vista，《內容感動行銷》、《慢讀秒懂》作者

認識我的朋友可能都知道，我是一個無可救藥的書蟲。不但每個月要涉獵大量的圖書，看書的速度也很快，同時我還組織「Vista 讀書會」，甚至以前還曾經開設過閱讀技巧的課程，希望可以幫助更多朋友感受閱讀的樂趣。

嗯，為什麼我這麼喜歡讀書呢？道理很簡單，除了可以獲得新知之外，閱讀還是一種很簡單且平價的娛樂。開心的時候可以和一群朋友共讀，或者自己一個人靜心讀書，也是很棒的事！

很多朋友雖然知道閱讀的重要性，但卻無法有效掌握閱讀的訣竅。想想也真的有

點可惜呢！如果你也有類似的困擾，我想推薦日本百萬暢銷書作家齋藤孝的新書《只有讀「書」能抵達的境界》給你。

他在本書中提到，網路上雖然充斥著各種資訊，但光是閱讀這些零碎的資訊，並無法讓人變得更有深度。換句話說，**唯有透過讀書才能強化一個人的體驗，進而促進思考，以及將知識有效轉化**。

在後疫情時代，讀書會使人心靜，更能讓人成長。嗯，讓我們一起來讀書吧！

前言
# 讀書的最大目的不在吸收知識，而在體驗

現在，正應當讀書。

在此之前，我也不斷講述讀書的樂趣和功用。

不論在任何時代，讀書都是一件很棒的事。讀書能增進人的思考能力，豐富想像力，並在痛苦時給予人前進的力量。要形塑自我，使人生變得豐富，必不可少的就是讀書。這份價值雖然永恆不變，但我特意要強調「現在」。

「現代人都不讀書」，是很久以前大家就在批評的現象。想必有人已經聽膩了吧。若只是覺得這樣的批評刺耳那還算好，但我感覺非常多人都會惱羞成怒回嗆：「那又怎樣」。

前一陣子，我看到一項很可怕的數據。即「讀書時間是零」的大學生超過半數

（第五十三屆日本全國大學生活協同組合聯合會所做的學生生活實態調查。回答一天讀書時間是「零」的占五三・一％）。

身為一位大學教師雖然隱約有此覺察，但看到數字還是大為震驚。若是理工科的學生，讀論文而不讀書，將大部分時間用於實驗和計算我還能理解，但連文科的學生也不讀書才令人驚訝。

那麼，實際上大學生不讀書都在做些什麼呢？

## 讀網路文章和讀書不一樣

雖說他們不讀書，但並不表示沒在閱讀文字。毋寧說，他們大量地閱讀，而其大多數都是網路或社群上的文章。

也許有人會說：「不看書，但看網路有何不可？」

假使有人反駁我：「網路裡包羅萬有不是嗎？」確實是如此。網路上每天追加的資訊數量龐大，不僅是近期的新聞，還包含古今東西各種各樣的故事、解釋和反應。網路的「青空文庫」* 上還可以免費閱讀著作權期限已過的作品。

因此，「不特地看書看網路也很好不是嗎？」的意見也並非是錯的。

不過，網路上的閱讀和讀書有一項重大的差異，那就是「面對的方式」。

在網路上想要瀏覽什麼時，通常會想在短時間內迅速讀完再讀下一篇，而不是好好地面對眼前的內容。視線總是往看似更有趣、更吸睛的事物流動。網路上充斥著大量資訊的同時，也充斥著令人感興趣的廣告詞和影象。於是認真面對一則內容的時間愈來愈短。

最近，透過網路聽音樂的情況也逐漸增多，但透過網路的「聆聽方式」無法聽到

* 蒐集日本文傑作品著作權已經進入公有領域的數位圖書館。

前奏。總會耐不住性子開始尋找下一首曲子。因此某歌手曾經告訴我，他現在作曲都採取開頭就是副歌的做法。

也有研究指出，現代人的注意力普遍降低。根據二〇一五年微軟發表的報告，現代人的注意力持續的強度（能夠專注在一件事情上的時間）只有八秒。二〇〇〇年時是十二秒，如今縮短了四秒之多，比金魚的九秒還要短。

這絕對是網路造成的影響。尤其是智慧型手機普及後，人們開始時常利用智慧型手機查閱各種資訊、利用社群網路服務簡短交談，從某個角度來說，這是「順應」之後的結果。

## 閱讀網路文章的身分，是「消費者」，不是「讀書」

如前文所述，閱讀網路上的資訊和讀書是完全不同的行為。

**閱讀網路上的文章時，我們不是「讀者」，是「消費者」**。我們握有主導權，會選擇更有趣的內容。就是「這個不是」、「這個很無聊」、「這個很有趣」這樣不斷篩除、消費的感覺。

只是一直消費很難有累積。忙碌地瀏覽訊息，卻總覺得有點不踏實，什麼也沒學到。儘管瀏覽時覺得有些驚喜，但很快便忘記。也許確實經常具備粗淺資訊，但「人生不會因此而變得深刻」。

這其實是「心態」的問題，而非資訊的內容和工具的問題。

當你敬佩一位作者而決定「好，來看這本書吧」時，你會好好地坐下來聽他說。那就像是只有你和作者兩人關在一間四疊半的房間裡，聽他沒完沒了地敘說一樣。即便遇到有點無趣場面也不能輕易走開。會耐心地繼續聽他說下去。

對方若是天賦異稟的作家，恐怕還有人會「好想趕快知道下文」而捨不得睡覺一直讀下去吧。不過如果是和俄國文豪杜斯妥也夫斯基兩人獨處一室持續聽他說三個月的話，大多數人都會想逃之夭夭（若能試試看最好）。事實上所有人都漸漸逃跑了。

假使沒逃跑聽到最後會如何呢？那會以「體驗」的形式牢牢烙印在心裡。**讀書正是一種「體驗」。的確也有說法指出，當我們在閱讀中對出場人物產生情感投射，大腦的狀態和我們在體驗某樣事物時的狀態很接近。**

體驗會對人格的形成造成影響。相信你也有過一些體驗讓你覺得「正是這樣的體驗塑造出現在的我」。

辛酸、難過的體驗也是，因為有過那樣的體驗才能懂得別人的感受，或是因為度過那些痛苦才變得堅強和有自信。假使生了一場大病，或發生某件事讓人體會到生命之可貴，便會覺得當下這一瞬間很重要之類的，為人格帶來改變。

**自己一個人的體驗有其極限，但讀書可讓人獲得相似的體驗。**

讀書能深化一個人的人生觀、人類觀，使想像力變豐富，人格變偉大。

也有人說，實際體驗比讀書更重要。說得沒錯，實際體驗確實重要。但我認為讀書和體驗兩者並不衝突。我們可能因為讀書而產生「想體驗看看」這樣的動機，不但如此，還能覺察到自己無法用言語表達的體驗的意義。進而能夠將實際體驗發揚光大數十倍。

本書基於「讀書會讓人生更有深度」的前提，會慢慢告訴大家在善用網路和社群網路服務的同時如何讀書、讀什麼樣的書。若能對愛讀書的人和最近很少讀書的人重新發現讀書的美好有一點兒幫助，那將是我的榮幸。

序章

# 網路上什麼都有，為什麼還要看書？

# 01 生而為人，才能領略的喜悅

## 資訊化社會，有用的資訊反而很少

大家都說現代是資訊化社會，感覺我們好像每天都接觸到大量的資訊。確實，網路上的資訊量驚人。只要有心，無論什麼都能查，要查多少有多少。

然而，我的感覺卻是，大家其實並沒有吸收那麼多的資訊。

明明總是把玩著手機，但這個也不知、那個也不知。即使我拋出：「最近這新聞很熱門……」，也只會得到「我知道那新聞，但詳細內容是什麼啊？」的回答。看來大家似乎只是迅速滑過，截取關鍵字詞，並未詳細閱讀。

還有人「只看統整網站」。對不知道的事，簡單匯整一下資訊就自以為懂了。以為懂了，但被人一問卻答不出來，或是理解錯誤、過目即忘。

網際網路雖有大海之稱，但十之八九的人都像在淺灘上撿拾貝殼，鮮少有人潛入深處。明明只要潛下去，不但可能遇見不曾見過的深海魚，還會發現一望無際未曾見識過的世界。所以即使面對同一片海洋，但會怎麼做因人而異。

## 不能變成只懂專業的白痴

稍後會再談到，讀書會增加人的「深度」。

這本書所談的「深度」，並不是只對一樣事物探究到底的深度。對專業領域探究到底，其他方面卻完全不行，這樣並不均衡。所謂的深度是全人式的、綜合式的深度。

前文提到現在的大學生不讀書，事實上，我感覺大學的老師也漸漸不再為了文化素養而廣泛閱讀。我在大學招聘的面談中經常會問這樣的問題：

**「能不能請你說出三本專業領域以外，構成你本身素養的書？」**

專業領域以外是重點，這問題是要確認對方是否擁有豐富的素養。要讓學生具備文化素養，老師本身不能沒有素養。

但沒想到突然語塞的人比以前多了。如果是「多到數不清，舉不出來」我能理解。希望他起碼能說出「要縮小到三本很難，請容我舉出十本」這樣的話來。可是很遺憾，回答「如果是專業領域，我馬上就能說出來……」的人愈來愈多。

熟知專業領域是當然的，但我認為應當要有一般素養做為其背景知識。在缺乏哲學思考之下搞科學，或是搞經濟學而不懂文學是很危險的事。所以大學一年級的新生才會有教養課程＊。

就是所謂的博雅教育。

博雅教育的概念誕生自古代希臘。起源於「有助於獲得自由的全人式技藝」的教育原理。認為人類為了掙脫出包含偏見、習慣在內的束縛，靠自己的意志活下去，必須具備廣泛且實踐性的知識。

之後，中世紀歐洲繼承了博雅教育的傳統，將它定義為「文法、辯證、修辭、算術、幾何、天文、音樂」的「自由七藝」。並且，當日後神學、醫學、法律這類專科教育出現，博雅教育更成為應當優先學習的項目。

現代的博雅教育一面汲取這樣的傳統，一面納入近代很發達的經濟學、自然科學等，範圍變得更加廣泛。

近年來，博雅教育開始逐漸受到重視，想必是因為在全球化進展、社會問題複雜化的情況下，人們強烈認知到必須具備超越專業領域的靈活性才能解決問題。

人們認為，即便擁有豐富的專業領域知識，但在充分運用那些知識上，若沒有多

* 相當於台灣的通識課程。

元的視角也很困難。比方說，就算學過基因工程，懂得基因操作的技術，但要處理該如何與生命倫理取得妥協這樣困難的問題，必須具備歷史、宗教、哲學等廣泛的知識。

因此我才說，發生在文化素養愈來愈受到重視的時代，人們卻不讀書的這種現象很奇怪。

## 「不要輸給ＡＩ」的想法根本本末倒置

現在ＡＩ（人工智慧）備受關注。

二〇一七年，有一則ＡＩ擊敗世界頂尖圍棋手的新聞。圍棋與將棋和西洋棋相比，具有棋盤大、布局長、棋子的價值隨著場面改變的特徵。若是西洋棋還有可能的「記住每一步，再經過計算找出最佳解」的做法，很難適用在圍棋上。因此人們普遍認為電腦要在圍棋上打敗人類，現在還不是時候。

然而，根據二〇一七年十月發表的文章，谷歌（Google）旗下的DeepMind公司開發的「AlphaGo」未用到前人的棋譜資料，完全靠自學就讓棋力增強。而且它不只會下圍棋，還會玩其他棋類。看來電腦已能脫離人類的控制，自己學習、成長。

像這樣以驚人的速度持續進化的ＡＩ。這領域的權威雷・庫茲維爾（Ray Kurzweil）預測，二〇四五年將達到「科技奇異點」（Singularity）。意即人工智慧會超越人腦，使世界發生巨大變化。

為了避免被ＡＩ搶走工作我們應當具備什麼能力？為了學會ＡＩ做不到的事我們該怎麼做？這一類討論也很興盛。

不過如果讓我說的話，這樣的討論很荒謬。就算預測出「ＡＩ做不到的事」也會輕易被推翻吧。看它現在進化的速度也知道，一定會發生遠遠超出一般人想像的變化。因此，「ＡＩ會做的事可以不用學，只拚命學ＡＩ不會做的事」的想法或許能避開風險，但絕不會讓人生變豐富。

AI。

**將不要輸給AI設為人生目的而活著根本是本末倒置**。那正如同將人生讓渡給

不論AI是否出現，「如何讓自己的人生活得深刻」才是重要的不是嗎？

為了讓人生更有深度，我認為讀有關AI和未來預測的書非常有意義。比如「倘若世上曾經存在智能超越人類大腦的AI，要進行像人類一樣的溝通交流應該很簡單吧？那麼，是什麼使人成其為人呢？自己對身為人又有何求呢？」之類的，書本在手一面慢慢深化思考，一定能讓人生漸漸豐富起來。

## 為人類的未來著想

我們人類屬於「智人」（Homo sapiens）。

能夠與眾人共享知識並傳遞給後世，正是智人厲害之處。去到書店或圖書館，便見古今東西的智慧擱不下似地將室內擺得滿滿的。偉大的人耗費畢生之力探究真理，或是千辛萬苦地將真理精煉成文學的形式再寫成書，以便任何人都能閱讀。所以才促使智慧能夠持續不斷地進化。

如果只是和家人或朋友聊天，那猴子和狗也會做。就連螞蟻也會吧（也許不是發出聲音的聊天，但確實在進行各種各樣的溝通）。可是，動物和昆蟲們並無法知道跨越地域和時代曾經存在的生命們思考過什麼。

**不讀書，即意謂著，失去身為智人的驕傲。**

我甚至會想，假使連注意力也進一步降低，最後變成「讀不了書」而不是「不讀書」的話，那人類的未來豈不是前景堪慮？

再次重申，我的意思不是網路、社群網站不好。

這些令人讚嘆的工具同樣是人類智慧的產物。一定要好好活用不是嗎？只是，把重心完全轉移到那邊而忘卻讀書的喜悅就太可惜了。**讀書，是生而為人才能領略的喜悅，是我們能夠靠自己的力量，讓自己的人生更有深度的最佳手段。**

我認為在網路、社群網站全盛的現代，重新認真面對書本才更顯重要。

# 第1章

# 只有讀書的人才能抵達的「深度」

# 02 「深刻的人」和「膚淺的人」有什麼差別？

除了在大學授課，我也經常對一般大眾舉行演講，有機會接受廣泛的提問，以及來自媒體的採訪。這時有的人能提出碰觸到本質的深刻問題，有的人就只能提出拘泥於表面部分的膚淺問題。

對於膚淺的提問，我會回答「就是這樣」，好，結束。很簡單。不太會再進一步展開話題或加深內容。

若是深刻的提問，我也不得不動腦筋思考。提問成了刺激，促使我深入思考。提問者的思想也因為我的回答而深化，成為一段成果豐碩的時間。

即使是談看完電影後的感想或對新聞的看法，聽的人也有些受到刺激可以說出很有意思的心得，有些只說得出大家都會說的泛泛之言。

淺薄的人和深刻的人，你想聽哪一個人說話呢？應該用不著問吧。

## 「博學多聞」不等於「深刻」

那麼，其淺薄和深刻從何而來呢？

一言以蔽之，就是「素養」。

所謂的素養並不是如雜學、冷知識這類的東西。而是納入自己的內在加以整合，成為像血肉一般的廣泛的知識。

關鍵是要抓住事物的「本質」，進而理解它。

**即使擁有大量零散的知識，若不能綜合式地靈活運用也沒有意義，只是「博學多聞」並不是「深刻的人」。素養對其一生和人格造成影響，這樣的人才是「深刻的人」。**

要成為一個深刻的人，讀書是最好的方法。

讀書能夠加深知識、深化思考，使人格有深蘊。

比方說，日本江戶時代武士西鄉隆盛就是「深刻的人」。西鄉自幕末、明治時代起就被視為人格高尚的人，受人景仰，聲望崇隆。去世之後仍有許多人深深被他吸引、研究他，不斷受到每個時代的人肯定。現代依然人氣不墜。

那麼，若問他一出生就人格高尚，是個「深刻的人」嗎？當然不是。西鄉讀過許多書。他說影響自己尤深的是儒學家佐藤一齋的《言志四錄》。即使被流放外島也仔細熟讀，挑出印象特別深刻的一百零一句話，時時重讀。他的座右銘「敬天愛人」也出自那本書。他經常讀書，涵養自身。

## 溝通能力和認知力的深淺之別

溝通，也有深淺之別。

從頭到尾只有表面的交談，難以產生信任感的就是淺層溝通。在便利超商買飲料時和店員完全沒有眼神交會地說「麻煩你」、「謝謝」也是淺層溝通沒錯，但這是非常粗淺的層次。應該沒有人會對那樣的溝通有印象吧。

不過，同樣的場景也可能進行深刻的溝通。我和便利超商的外籍店員成為可以談話的關係後，還聊到他和女友分手的事。只要理解對方的狀況，說出真心誠意的話，溝通立刻變深刻。「碰觸到深層部分」的感覺很好。即使是簡短的交談，也可能因此度過愉快的一天。

就算是家人、戀人、朋友也不見得常常做到深層的溝通。不碰觸深層的心理、情緒的流變，只看表面的話，便會淪於淺層溝通。我們會感受到愛情就是在做到深層溝通之時。

在工作上，溝通也很重要。只要做到深層的溝通，即便話不多、時間短暫，事情也經常會很有創意地進展。而如果溝通得不順暢，簡單的事也會因為出錯或手續增多而延宕。幾乎所有人都有這樣的經驗對吧？

**「認知力」是溝通能力的基礎之一**。

要理解對方的狀況、情緒和言行。一言一行各自有其當下的脈絡。

「我很期待喔」這句話，可能既含有「我相信你，所以一定要加油」的意思，又帶有「沒給我做出相當的成績可就難辦了，這是最後一次機會」的意含。

瞬間理解人「複雜的情感」也是認知力。歡喜、悲傷、懊悔，無法簡單地說出口、難以形容的情感。若能消化、感受到這類情感，相信就能達到更深層的溝通。

文學作品經常描寫這一類複雜的情感。**閱讀文學作品可使人掌握感受複雜情感、將複雜情感轉換成語言的能力**。

除此之外，當我們要用言語應答或發動別人去做什麼事時，認知力也很重要。

自己想說的事無法好好表達出來時，也許是無法將自己內在某些想不通的事轉換成語言。

## 不靠外表，反而更有魅力

哈佛大學心理學家南西・科卡夫（Nancy Etcoff）的著作《為何總是美人得利？》（*Survival of the Prettiest: The Science of Beauty*）是本基於認知科學和演化心理學的見解解開「美麗」之謎的書，根據書中的說法，人類在演化過程中，漸漸對「生殖能力強、健康，且最適合物種繼續存在的容姿感到美」。簡言之，「美麗的人」被人類判斷為「對物種繼續存在有利的人」。

因此，身為一個生物，追求美貌是合情合理的事，也許也擺脫不了。

不過，人類的文化長久以來一直設法克服它。如果只是美，那麼老虎中也有美麗的老虎，鹿群中也有美麗的鹿，可是文化並沒有生成。人類即使不是生來就美，仍然有辦法展現出魅力。

蘇格拉底並不是美男子，卻十分受年輕人喜愛，其智慧、修養、人格的豐富會將人勾引過來。

平安時代的愛情在實際見面前要先經過書信往來，然後才會覺得「這人好極了」。就算外表不好看也會努力修養自己展現魅力。所以才會被人誇：「那人果然出身不同，有教養」。

**試著實際回想一下周遭有魅力的人，肯定不是徒有外表**。談吐風趣、會與人深入交流的人；人品高尚的人；有深度的人，我覺得這樣的人很有魅力。

## 深度可藉由閱讀培養

那麼，怎麼做才會變得有深度呢？

我在前文中提到許多人只待在網路的淺灘，其實在網際網路的世界，要潛入深處並不困難。按壓滑鼠衝個三趟就行了。不是讀完最先找到的網頁就沒事了，要搜尋相關的網頁，或從其他角度觀看的網頁，全部讀完即可。光是這樣所獲得的資訊就扎實又有深度。

不過要潛入什麼地方？這部分應該就因人而異。首先，只要擊點三下就會比較深入，但要進一步深化知識就需要有潛入的能力。

我認為，這「潛入的能力」可以藉由讀書得到鍛鍊。

社群網站做為交流的工具非常優秀，但從吸收資訊的觀點來看卻不太有用。因為朋友之間的交流基本上不會有「新的資訊」。多半是就彼此已知的事物、身邊的事物交換訊息，就算有機會接觸到新知也很難深入認識。

當然，朋友很重要，所以抽空與朋友交流確實是好事。可以毫無顧慮地說話十分難能可貴，輕鬆的閒聊對消愁解悶也是必要的。不過如果對朋友產生依賴，一天到晚緊盯著社群網站的話，便沒有轉入更深的維度的餘地。

**至少睡前一小時用來讀書**，如何？這樣每天就能多少有一些深刻的時間。白天一整天只有淺層溝通的人也會突然變得深刻。思想和神情似乎都變得含有深意，讓人簡直要問到底發什麼事。這「突然變深刻」的感覺很好。

海若突然變深，可能會捕獲只有深海才捕捉得到的生物，如櫻花蝦。靜岡出身的我非常喜愛櫻花蝦，全世界僅有幾個地方能捕獲可以生食的櫻花蝦。這與突然變得出奇深的駿河灣*特殊地形有關係。

不必總是那麼深也無妨。意即平常可以淺薄，但要保有突然變深刻的時間。接觸偉大的事物獲得感動或使內心大受震撼，會讓人細細地咀嚼人生。

日本女創作歌手ＪＵＪＵ因為演唱會等因素拜訪各地，據說一定會順道走訪書店。她曾在電視節目中表示：「書就像是哆啦A夢的任意門，每一本都會帶我們走進不同的世界」，我覺得她說得對極了。我在電車上一打開書，即便周遭有各種日常的會話，依然會感覺有如獨自身在十九世紀的俄羅斯或兩千年前的羅馬一般。

JUJU在搭車行進間和睡覺前總是書不離手，是個愛讀書的人。我猜想是不是就是因為這樣，她的歌才含有深刻的表現力呢？

## 電視是很膚淺的媒體？

一般認為，電視是很膚淺的媒體。

假如只是不經意地看著電視上播放的內容，我想的確很難深入。畢竟它就是按照

＊最深處水深二千五百公尺，是日本最深的海灣。

就算腦袋放空也不會跟丟了話題的原則被製做出來的，何況本來就不常播放小有難度的內容。多半是可以輕鬆觀賞的娛樂節目。

不過，紀實報導、一流人物的專訪和「一百分鐘讀名著」（NHK教育台）這類教養類的節目，有許多可以談得很深入。而且就算是娛樂類節目也可以很有深度，端視你如何看電視。確實有可取之處。

我從事過電視工作，所以經常看電視。一天通常會看三至四個小時。常看的節目之一是東京電視台的節目《可以跟你回家嗎？》。這個節目是詢問深夜錯過末班車的人：「我幫你付計程車費，然後跟你回家，可以嗎？」然後到對方家進行採訪。

比方說，有位經常在居酒屋喝得醉醺醺的二十多歲女性在訪談過程中，讓我們看到她有別於以往的一面。「妳平時從事什麼工作？」「特殊教育學校的老師。」她最愛的、個性溫順的哥哥有智能障礙。有一年生日，哥哥來參加她的慶生會，幾天後突然生病去世。哥哥的去世促使她重返校園，以函授方式重新學習，成為特殊教育學校的老師。

那是我從她紅著臉、歡快飲酒的身影中，所想像不到的人生。在我不知道的某處大街上的人們，也正各自努力活出自己的人生啊。我有這樣的感慨。

節目不過截取了出場人物一生中極小的一部分，卻可以從這一小部分擴大想像。我們對於平時和自己沒多大關係的世代、職業、地區的人生，往往不太能想像，或是以偏見看待。打破這樣的狀況、擴大想像，培養豐富的人類觀、人生觀，正是這一類節目的優點。

**對「有能力領略到深意」的人來說，這一類彷彿能窺見人生的節目可以學到很多。**若只會對像催淚節目那樣擺明著要你感動的內容有反應，不會長出深度。層次很淺的內容也足以讓人感動落淚。所謂的深度，並非只是情緒有無波動而已。

而這種「領略到深意的能力」，我認為也可以藉由讀書獲得。

## 知性是被萬人開啟的

一般認為，「知性」指的是知識豐富、語言方面認知能力高的人。讀到或聽到同一件事時，會如何解讀因人而異。認知能力高的人能掌握到更多、更深的資訊，並加以理解。

另一方面，還有一些「有敏銳度的人」。就是無關知識，憑感覺就做得很好的人。對設計有敏銳度的人、對音樂有敏銳度的人、對做菜有敏銳度的人。尤其是沒有好好學過卻表現出眾時，我們就會用這種說法。

這裡我要說的重點是，**知性是被萬人開啟的**。很遺憾的，敏銳度有很大一部分是我們難以靠努力改變的。比方說，音痴的人對音樂不具敏銳度，這麼一來，也許很難透過唱歌、演奏，從音樂中獲得很大的喜悅。

然而，語言是由多數人開展出來的，不太需要敏銳度。任何人都能增進自己的知識，在深入探究中成為有知識的人。而且，任何人都擁有對知識的好奇心和求知欲。

我長年指導小學生，所以知道，基本上沒有小學生是討厭看書的。大家都說「還想要看、還想要看」。我感覺所有人都擁有很自然的求知欲。

舉個例子，很受小學生歡迎的書中，有一本日本暢銷作家宗天理的小說《我們的七日戰爭》。這是一本內容充實，故事發展也很有深意，很有趣的書。書中還刻畫了戰爭和學生運動。故事的大意是在講述一群受到管理主義教育壓制的孩子，利用媒體對大人提出自己的意見、主張。感覺並不是三兩下可以輕易閱讀的書，而且有些相當艱澀的部分，但小學生們都在看。「我們的」系列叢書竟然累計發行超過一千七百萬冊，好驚人。意思就是有這麼多的小孩都在閱讀。

小學生既有閱讀能力，也想要閱讀。一年讀將近一百本書的孩子多得是。照這樣來看，語言方面的認知能力理應不斷地提高……，卻沒想到多數人愈來愈不讀書，升上大學後一個月竟然讀不到一本書。感覺似乎隨著成長而漸漸遺忘了讀書的樂趣。

**讀書的樂趣在於，細細品味那本書中的世界。**

可以說是「邊玩味邊閱讀」。需要有顆接觸到深層世界，並以此為樂的心。沒有那樣的心靈，恐怕不會勻出那麼多的時間和精力閱讀吧。

而所有人基於與生俱有的求知欲，最初都擁有接觸並能享受深層世界的心靈。

## 有教養和沒有教養的人生，你選哪一個？

選修我的課的大一學生，一開始我都會這樣告訴他們：

「從此會分成兩條路。有教養的人生，和沒有教養的人生。你喜歡哪一個？」

是選擇在閱讀《論語》、《笛卡兒談談方法》（*Discours de la méthode*）、尼采和福澤諭吉＊等各式各樣的書籍、回應具有創意的課題的過程中，體會到「知性且有教養的人生棒極了」這樣的生活方式？還是選擇邊說「我管它什麼笛卡兒」之類的邊過生活的非知性的人生呢？

我這樣問，大家當然都說「喜歡有教養的人生」。而實際開始大量讀書之後才開始會說：「很慶幸自己又開始讀書」、「想到自己要是繼續那樣不讀書就覺得可怕」。很有潛力，只是沒有讀書的習慣。

一旦讀過許多書，便更能領略有教養的人的話中趣味。

比如，日本知名導演黑澤明的電影《蜘蛛巢城》講述的是戰國時代武將的故事，是根據莎士比亞的《馬克白》（*Macbeth*）改編而成。雖然沒看過《馬克白》也能欣賞這部電影，可是看過的話，就會讚嘆：「用戰國武將來詮釋馬克白就會是這個樣子嗎？果然不愧是黑澤明！」可以欣賞得更深入。

不只是電影和書才會引用古今東西的名著。就連玩笑、閒聊也會這麼做。若有文化素養，便能有所領會而一起大笑。「那個好像馬克白夫人，你說是不是？」反之，當我說：「這是馬基維利主義**是吧」，如果得到「啊？」的回應，便無法再繼續深

* 日本近代著名的啟蒙思想家、明治時期傑出的教育家。
** 表示為達目的、不擇手段的作法，與欺騙詐術、詭計等同義。

談下去。

書讀得愈多愈覺得世界充滿了趣味。即便是平常人不在乎的事物，也覺得「好有趣」。比方說，發覺「漢字怎麼會這麼厲害」。日常不經意地使用的漢字，每一個字的形成背後都有個非常深奧的世界。我讀了日本古代漢字學著名學者白川靜的著作後，真的是有趣到令人感動。

除此之外，將漢字與身體結合起來思考的是日本體育學家野口三千三。他在從事的是「透過身體探究漢字形成過程」這種匪夷所思的研究。試圖透過腳的感覺去追溯當初創造「足」這個漢字的人們的感覺。將深層的身體感覺與漢字文化結合起來一併理解，這是多麼有趣的事啊。覺得知性的事物很有趣的人就會覺得這樣的研究很好玩。

對於不選擇過知性且有教養的人生的人而言，應該會覺得莫名其妙吧。人生的樂趣也會相應地減少，只是他們不會知道。而是習慣於真的純粹只是要逗樂觀眾的娛樂節目，漸漸無法體會複雜的樂趣。

簡而言之就是，「**有教養的人，人生才會有趣**」。

人世間充滿著許多複雜的樂趣，所以才要學會發現那些複雜的樂趣並覺得有趣。

# 第2章

# 如何讀得不淺薄又深刻？

# 03 掌握一流人物的「認知力」

**要獲得「深度」，需要有深入理解那樣事物的能力和「認知力」。而讀書可以讓我們具備作者的認知力。**

若認知力有差距，即使面對同樣的資訊，理解也會大不相同。

假設有兩個人做著相同的工作。資深的A能夠正確理解工作的內容，甚至包括交辦人的意圖，做出超過期待的結果。而新手的B自以為已仔細掌握工作的內容，卻無法做出和A同樣的結果。所謂的經驗差固然有些純粹是技術落差，但很多時候其實是認知力上的差距。

聽A談自己平時面對工作是如何思考、如何理解資訊，B會大吃一驚。若能讓資深老手將自己的認知轉換成語言文字，便有可能透過努力達到同樣的認知。

**閱讀擁有一流認知力的人所寫的書，我們的認知力也會愈磨愈光。**

日本江戶時代劍術家宮本武藏的代表性著作《五輪書》是全世界廣為人知、評價很高的兵法書。武藏雖是「一生經歷六十場以上的決鬥未嘗一次敗績」的劍術高手，但其強大的祕密並非世間罕見的神力和豪爽。

他有如手藝純熟的工匠仔細琢磨劍術，反覆鑽研，創造出最厲害的招術。而透過對劍術這項具體技藝的追求，確立通往悟道境界的路徑是他厲害之處。這應該就是武藏之所以受到外國人喜愛的原因。藉由劍術達到悟道的境界，是很酷的日本人。

《五輪書》由「地」、「水」、「火」、「風」、「空」五卷構成。

「空之卷」中記載的就是武藏所追求的境界。

**「武士對所行之道要全盤領會，心裡毫無迷惑，時時不懈怠地磨練『心』**

和『意』（意識）二心，擦亮『觀』（理解全貌的宏觀之眼）和『見』二眼，沒有絲毫模糊不清、迷惑的狀態才是真正的空。」

——《五輪書》，宮本武藏

意思就是，藉由每日的鍛鍊，為達到沒有任何迷惘、如萬里無雲的藍天般的境界不斷努力。

記載劍術方面的「水之卷」中非常具體詳盡地寫到心態、姿勢、眼神、劍的握法、揮劍方式、腳法、配合現場狀況的進攻方式等。

一個姿勢就寫到如此細膩：「皺眉不要皺到額頭，保持眼珠子不動，不眨眼地瞇起眼睛，鼻梁要正，下巴微微向前……。」讓人驚訝其思慮竟到達這樣細微之處，並轉換成語言文字！這正是豁出一切鍛鍊劍術，達到真正高手境界的人的認知。

閱讀擁有像武藏這般一流認知力的人所寫的書，我們的認知力也會逐漸加深。

## 深刻的認識會在所有領域相通

日本室町時代劇作家、集能劇*之大成者世阿彌的《風姿花傳》原本是本祕傳之書。世阿彌將觀阿彌傳授的內容記錄下來，以便將「能」這一時技藝的精粹傳給同族中人。在能的世界裡競爭也很激烈，自己的門派一旦不再受到歡迎唯有消失一途。

即使得到當時的將軍足利義滿賞識，受到庇護，但說不準何時會被其他人取代。將軍和貴族自是當然，世阿彌也十分在意觀眾，也就是民眾的評價。就是由這樣背負著文化和一族命運的人，不顧一切撰寫的祕傳之書。

「祕則是花」是世阿彌的名言，其含意為「別把所有本領全公開，要先保密。先保密，關鍵時刻拿出來讓觀眾驚喜，即可使觀眾入迷」。

由於觀眾很快就會厭膩，所以需要經常提供新的驚喜，設法讓觀眾覺得有趣。想

* 日本獨有的一種舞台藝術，為佩戴面具演出的一種古典歌舞劇。

到這也是世阿彌為其族人、為文化認真寫下的字句，便覺得這話意義深遠。

聽說日本網購平台 Japanet Takata 創辦人高田明（社長，二〇一五年卸任）非常喜歡世阿彌。高田先生起初是因為員工覺得「社長平常在談的和這本書裡所寫的一樣」，送他一本有關世阿彌的書，才開始對世阿彌感興趣。在那之前他不曾接觸過能劇或讀過《風姿花傳》，但在談同樣的事，著實令人玩味。我猜是能劇和郵購看似完全不同，但兩人在「認識的深度」上卻有相通之處吧。

高田先生說，世阿彌的教誨最令他欽佩的是「自我更新的觀念」。即時時督促自己成長的態度。

具有代表性的一句話就是「初心不可忘」。所有人都知道這句話，但世阿彌要表達的和現代人理解的稍有差異。「初心不可忘」的「初心」指的是技藝的不成熟。含有不忘記自己尚未成熟，時時警惕自己，否則不會成長的意思。

《花鏡》中更進一步寫到三種初心：

「是非之初心不可忘。時時之初心不可忘。老後之初心不可忘。」

入門之初體會到的「是非好壞」的初心；在累積經驗之中進行與每一次狀態相符的演出上的初心；對步入老年才能挑戰的技藝的初心。意思就是開始做一件事之後，在累積經驗的過程中時時刻刻都有挑戰、都有未臻成熟之處。

擁有一流認知力的人會認為自己在做的事離終點還很遙遠。即便普通人覺得「到達這裡就好了吧」、「已經可以看見未來」，但**愈是具有認知力的人，愈會覺得還有值得挑戰的事**。他們對事物的認識是如此深邃，所以才能持續不斷地享受人生。

## 任何資訊都存在人格

閱讀大致分為兩種。為獲取資訊的閱讀和為形塑人格的閱讀。

想了解得到諾貝爾物理學獎成為話題焦點的「重力波」，於是打算閱讀資訊精簡有條理的新書系列*，這是當作資訊的閱讀。

讀日本文學作家中勘助的自傳性小說《銀湯匙》，一邊與自己的童年對照，一邊咀嚼書裡的世界觀是當作人格養成的閱讀。

若是當作資訊的閱讀，有些人恐怕不會太重視作者是誰吧。因為他想了解的是事實，而不是作者的世界觀。

只是，**我們終究很難把資訊和人格切割開來**。

比方說，德國天文學家克卜勒發現，行星是沿著橢圓形軌道運行。這項發現堪稱科學史上具有革命性意義的重要轉捩點。在那之前長達兩千年的時間，人們一直相信「行星的運動會畫出一道完整的圓」。圓形運動神聖且完美，天上世界一定是循著正圓軌道運動這套亞里斯多德的「自然觀」根深柢固。

然而在這樣的觀念下，克卜勒怎麼計算都不對。因而意識到，也許不是正圓，而是稍微有點變形。於是發現克卜勒定律——「行星是以太陽為一個焦點沿著橢圓軌道運行」。

要走到這一步必定經過一段拿理論與觀測資料逐一核對的科學性歷程，但同時，克卜勒本身卻保有神祕主義式的古老觀念。他靠占星術維持生計，視太陽為神聖的存在，並保有強烈的「宇宙和諧」價值觀。

克卜勒第三定律「行星公轉週期的平方與其軌道半長軸的立方成正比」，其實也是由神祕思想推導出來的。他相信行星的軌道和運動之間必定存在神祕的和諧關係，於是試圖將它找出來。了解這樣的背景後，是不是就會覺得克卜勒定律這樣的科學知識也蘊含了深意呢？

歷史也是如此。我非常喜歡法國歷史學家米榭勒（Jules Michelet），比方說《女

---

＊日本出版品的一種類型。即大眾教育的入門書，包含藝術、科學、思想、歷史等各種領域。

巫》（*La Sorcière*），就是他根據審判記錄寫成，探討中世紀歐洲盛行的女巫審判現象、非常有意思的歷史書。在那之前一般認為歷史是由男性所創造，因而一直以來都是以男性的觀點書寫，而米榭勒卻試圖從女性的角度刻畫那段歷史。

什麼是女巫？女巫就是被中世紀封建社會排斥的人。

> 大家要注意，在特定的時代，一個被人憎恨的人，不論是誰，只消被指為「女巫」就會被殺死。女人的嫉妒，男人的貪婪，都得到了再理想不過的武器。哪個女人富有？……她是女巫。哪個女人美麗？……她是女巫。
>
> ——《女巫》，米榭勒

不過，女巫並非總是犧牲者。有些人會成為反抗者，反抗羅馬教會，反抗國王的支配，反抗所有一切的權力。女巫也是中世紀歐洲史背後的要角。在奧爾良之圍中站上前線，解救為長年戰爭所苦的法國民眾的聖女貞德也是女巫。最後遭到火刑處死。

《女巫》是中世紀歐洲的歷史書，同時也是米榭勒以透徹的眼光刻畫出的文學之作。

史實本身乍看似乎與人格毫無關係。但看待史實的眼光卻代表了作者的人格。有人格，才有科學上的發現；有人格，才有對歷史的看法。這樣一想，肯定也會覺得資訊中也蘊含了深意。

**任何資訊都是由人做出來的，當中便存在人格。**

因此，即使是當作資訊的閱讀，只要試圖一併理解資訊和人的行為，自然會漸漸深刻起來。

## 養成「影像化」的習慣

我們在讀書時，大腦的作用非常精妙且複雜。循著文字理解其意義，理解並領會情感，想像書中描繪的風景、人物的形貌和聲音等。

能透過想像對不存在眼前的現實感到興奮、感動，這就是人類。除了語言本身即為人類獨有，藉由想像發動情感的讀書可說是極具人性的行為。

不僅是用眼睛追逐文字，用耳朵聽也同樣能鍛鍊大腦。

以前廣播電台經常播放朗讀節目。一九三九年開播、日本故事大王德川夢聲主講吉川英治的作品《宮本武藏》，當時大受好評，是後來一再重播的傳奇廣播劇。

譬如，武藏與佐佐木小次郎決鬥的著名場面「巖流島之戰」。

「來吧，武藏！」

話聲落下，巖流迅速拔出佩於腋下的長刀，同時將左手的刀鞘往浪間扔去。

「小次郎敗了！」

「什麼！」

「今日的比試勝負揭曉。你敗相已露。」

「閉嘴！胡說什麼！」

「若有心取勝，為何捨棄刀鞘？——刀鞘即代表你捨棄了天命。」

「你這傢伙，胡說亂語！」

「可惜啊，小次郎，要赴死嗎？趕著赴死嗎？」

「來吧！」

「——噢！」

武藏的足下響起水聲。

巖流也一腳踏進淺灘，高高舉起長刀，面向武藏擺好架勢。

不料武藏卻——

刷、刷、刷地踢著潮水，畫出一道斜斜的白色泡沫，往巖流的左手岸疾奔而上。

——《宮本武藏》，吉川英治，配合德川夢聲的朗讀作部分更動

因為是廣播，所以只是聽文字的描述。但腦中浮現的畫面卻如在眼前。彷彿能感受到那銳利的目光、緊張的表情，甚至是吐息，讓人手心捏把汗地專注聆聽。這時的腦其實是在高度的運轉中。

聽到「浪間」，便從自己的記憶中挖出符合的影像進行想像；聽到「往左手岸疾奔而上」，便想像武藏和小次郎的位置關係，構成畫面。不足的部分就用想像力填補。而且還會把情感投射在劇中人物身上，時而緊張、時而興奮。

讀書給人聽可讓人自由地產生想像。家有小孩的朋友請務必讀書給小孩聽。即使是稍微艱澀的用語、古老的措辭也無妨。重點是讀的時候要放入感情。縱使小孩對聽到文字後想像畫面尚未熟練，但藉由聲調的抑揚頓挫和情感的投入、調控方式，慢慢

便能夠在腦中將它轉換成影像。

這樣說來，動畫固然是極為精采的文化，但並不太適合用來訓練想像力。要邊看動畫邊想像其他畫面並不容易，何況正常人很少會這樣做吧？

日本動畫師宮崎駿曾在訪談中提到，他曾經對著一位說「孩子因為很喜歡『龍貓』，重複看過幾十遍」的母親說：「不能做這種事。」不能因為是名作就讓小孩一再反覆觀看。

> 不過，基本上來說，啟動錄放影機和翻開繪本閱讀在本質上是完全不同的行為。
> 不管有沒有在看，影像都會以一定的速度播放出來，是單向式的刺激，但繪本不一樣。孩子們愈是如現在這般依賴影像，今後在現實生活中便愈需要像欣賞繪本這樣的時間不是嗎？
>
> ——《折返點》，宮崎駿

這段話講的是小孩，但對大人同樣適用。現在頻繁瀏覽網路的人中，應該也有觀看影像的時間比閱讀文字內容的時間要長的人吧？相較於用文字說明，影像具有「一目了然」的便利性，訴諸視覺、聽覺的資訊量又多，因此可以很快地進入其中。

只是，那同時意謂著觀看的人可以不太需要用腦。需要運用想像力的機會減少。因此是不是可以說，大人也是愈依賴影像便愈需要讀書的時間呢？

宮崎駿本身便閱讀大量書籍，具備非常深刻的認知力。所以才能創作出那麼有趣的作品。

因此，喜歡動畫而看動畫卻不讀書，這樣也許便領略不到宮崎動畫真正的深意。

## 試著用「作者的眼睛」觀看事物

正如由上往下看會感覺圓錐是圓的，從旁邊看則看似三角形，我們只要改變視角，對事物的看法就會改變。在溝通上也常聽到人說「要站在對方的立場」、「用對方的角度去看」。然而，即便自認明白這樣的概念，我們仍然很難跳脫出自己的視角。不由得便認為「我是這樣，對方一定也是這樣」。

**讀書會幫助我們得到和自己不同的視角。要刻意讓自己擁有「作者的眼睛」**。即便覺得他的看法與自己不同，暫時還是要當自己是作者，用作者的視角閱讀。試著用作者的眼睛看周遭一切。

反覆這麼做之下，視角就會變得多層次且多角度。可以保有具有厚度、深度和廣度的觀點，而不會拘泥於一點。

比方說，在日本出生、過生活的人，往往很難理解外國人的價值觀。歷史和文化背景迥異的話，價值觀不同是很正常的事。當我們閱讀外國的文學、思想或歷史書籍，在感受到人類共通的普遍性的同時，也會感知到相異的視角。

正如美國文化人類學家露絲・潘乃德（Ruth Benedict）的《菊與刀》（*The*

*Chrysanthemum and the Sword*）、德國哲學家奧根・海瑞格（Eugen Herrigel）的《弓與禪》（*Zen in The Art of Archery*），外國作者提出的日本文化論述對加深視角也很有用。因為是從第三人的角度觀看，再用語言文字表達出來，因此「不同視角」會更加明確。

此外，如日本伊斯蘭學者井筒俊彥先生的《伊斯蘭文化之根本》這種由日本研究者講解外國文化的書籍，淺顯易懂，也會加深我們的視角。

若以世界史來說，日本應該是對世界史最感興趣的國家。一旦想要學世界史，便認為必須具備古代文明、伊斯蘭世界、歐洲、美國的龐大知識，在日本的高中，這些是必修科目。先不管學到多麼深入，總之就是一整套都學。

猜想可能是認為這個遠東之國若能積極學習認識這個世界，就能在世界上扮演中道的力量吧？我們平時過著西式生活，但骨子裡卻保有東方式的思維。我們沒有西洋第一主義、歐美中心主義的想法。對伊斯蘭和印度也能持平看待。

## 設定「作者月」，不斷換「浸泡對象」

那麼，我們該如何閱讀才能藉由讀書獲得這樣的深度？有人主張「廣而淺」，但其實最好的是「廣而深入」。要兼顧「廣度」和「深度」。或者應該說，若沒有一定的廣度很難達到深度。因為深度有一項要素是「連結」。

即便對某一樣事物了解很深，但光有那項知識只是一個「點」。可是當我們對乍看不相干的其他事物也深入了解之後，各個點便可能相連。點與點連起來後便逐漸形成面。

這麼一來，對全新的事物也能輕易地深入了解，對已知的事物也變得有能力進一步深入探究。

即使在想要深入探究一件事的情況下，由於興趣會自然衍生，應該也可能自行展開吧？有文化素養的人就是一直在做「廣泛而深入」的閱讀。

因為喜愛某位作者而深入閱讀他的書，卻對其他作者一無所知，這樣的情況無論如何還是會逐漸淺薄化。範圍狹小，因此不會深入。

沉浸在自己喜歡的作者的世界裡，持續閱讀他的作品固然是一大享受，但僅止於此有點可惜。

因此，如果這個月迷上某位作者，那下個月就沉迷其他作者，再下一個月再換另一位作者，不妨像這樣錯開時期逐漸擴大下去。不斷地移換「浸泡」的對象。

順便提醒一下，迷上某個特定人物時沒有必要貶低他人。「比起像某某某那樣的菁英，我更喜歡有點脫隊的太宰治」等，批評別人以抬高自己喜愛的作者沒有太大的意義。倒不如定出這個月是太宰治月，下個月是另一位作者的月份，像這樣分別沉迷一個月收穫還比較多吧？

## 挖掘「精神文化」，讓我們變強大

我一直認為，人類最重要的是精神文化。談到精神文化，立刻會被拿來與工具、建築物等的「物質文化」對照，其實也可以與每一個人的精神層面對照。

所有人都有心靈。我們每個人每天都會感覺到快樂、歡喜、悲傷、懊悔等各種心情的變化。那基本上是當事人特有的。當有人感到悲傷，自己若與那人毫無關係應該不會感到悲傷吧？若非處於能夠感同身受的處境，我們不會懂得那人的心情。

另一方面，也存在所謂的為整個社會共有的精神。那就是精神文化。

比方說，對大多數印度人來說，印度教是他們共有的精神文化；日本的「武士道」則是以前武士之間共有的精神文化。這與個人特有的心靈不同。每個人特有的心靈很重要自不待言，但只在意個人的心靈難免會有盲點。

我們沒有人是獨自活在世上。我們都活在連綿不絕的文化中。平常也許很難意識到，但挖出存在於根底的精神文化、感受它，會讓我們變得強大。感受到與擁有相同文化的一群人的連結。

**讀書可以幫助我們挖掘精神文化。哲學、思想方面的書自不在話下，文學書也很適合。**

文豪們都飽讀詩書。首位日本人諾貝爾文學獎得主川端康成、日本小說家太宰治、日本唯美主義文學代表大師谷崎潤一郎的讀書量非同小可。他們藉由大量閱讀承擔起精神文化，再以文學的形式表現出來。所以就算只是讀一本谷崎潤一郎的書，也會有種其背景知識中的大量書籍一古腦兒湧到面前的感覺。作者特有的視角當然存在，但背後確實存在厚實的精神文化。

## 讀到頭腦發昏，也是深度閱讀

仰慕俄國大文豪杜斯妥也夫斯基（Fyodor Mikhaylovich Dostoyevsky）的作家很

多。日本小說家村上春樹即是杜斯妥也夫斯基的愛好者，甚至表示「對自己是作家感到徒勞」。據說他很想像杜斯妥也夫斯基那樣，把各種各樣的世界觀、視角全部放進一部作品中，交織融合成一本「綜合小說」。他尤其反覆閱讀《卡拉馬助夫兄弟們》（*Brothers Karamazov*），把它列為影響他最大的書之一。

《卡拉馬助夫兄弟們》獲得文學最巔峰的高度評價，不但文字量驚人，且非常不易閱讀。

卡拉馬助夫家的成員有父親費道爾和德米特里、伊凡、阿萊沙三兄弟，及傭人司邁爾科佳夫；德米特里小名米伽或米契卡，伊凡是瓦尼、瓦內契卡，阿萊沙是阿遼沙、遼什契卡，稱呼很多很混亂。

另外還有未婚妻、朋友、長老等，出場人物非常多，必須全面理解各個人物的性格、經歷和關係等。除此之外還要跟緊故事情節。想得到的故事主題也很多，既可當作「宗教小說」、「思想小說」閱讀，又含有「推理小說」、「法庭小說」、「愛情小說」等的要素。

會讓人腦袋發昏是吧？包括這**「發昏」在內也是讀書**。

再次重申，**深度是綜合性的東西**。

《卡拉馬助夫兄弟們》異乎尋常的深度恐怕不是鎖定單一主題或某一類關係將故事單純化所能夠表現的。

不限於《卡拉馬助夫兄弟們》，我想深刻的作品都無法輕快閱讀。有時每一行都要思索，遲遲難以推進。也許有些人還會一再確認「還剩多少？……還要很久才會讀完啊」。這樣也是讀書。

頭腦發昏也不要害怕，再往深處走去。一起懷抱敬意，如武士般擺好架勢向前挺進吧！

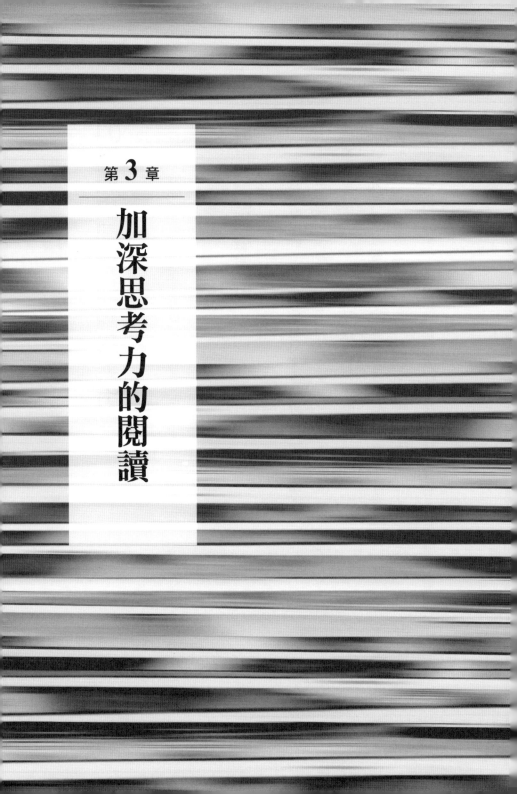

# 第3章

# 加深思考力的閱讀

# 04 藉由閱讀鍛鍊思考力

## 與自己的經驗連結

**深化思考之際，最重要的是將文本拉近自己去思索。**

不是讀完之後說：「是這樣的意思啊，原來如此」就沒事了，要去想「在我來說這個相當於什麼」、「如果是我的話會怎麼樣」。

比如法國作家聖修伯里（Antoine de Saint-Exupéry）的《小王子》（*Le Petit Prince*），只是讀完理解了故事，思考也許不會加深。可是一旦試著去想，對自己來說小王子留在自己星球上的玫瑰花代表什麼？狐狸的意義又是什麼？思考便開始加深。

小王子居住的小行星上只有一朵玫瑰花盛開。竭盡心力照顧玫瑰花，卻被玫瑰花任性的態度和言語折騰，逃也似地離開星球去旅行的小王子，造訪過「國王的星球」、「商人的星球」等數個與眾不同的星球之後來到地球。於是他看到幾千株的玫瑰花，知道一直以為自己很特別的那一朵玫瑰花其實只是尋常可見的普通的花之後，覺得很難過。

這時狐狸來了，小王子為了解悶邀他一起玩，但狐狸說：「我不能跟你玩，因為我們沒有很要好」。狐狸說的「很要好」指的是情感的牽絆加深，成為與眾不同的存在。小王子透過與狐狸的對話體會到那朵玫瑰是世界上獨一無二的玫瑰花。

到了與狐狸離別的時刻，狐狸說：「是你為你的玫瑰花花了那麼多時間，才讓她變得無可取代，」還告訴小王子：「真正重要的東西是眼睛看不到的。」

試圖看懂作者聖伯修里在作品所傳達的訊息，這是「閱讀理解」。

比方說，大人只顧著追逐權力、名譽和財富等而忘了真正重要的「建立情感紐帶」。發覺如情感紐帶這般眼睛看不到的價值，才會讓人生變豐富。——這部作品是不是想要傳達這樣的訊息呢？要像這樣思考。

**讓我們試著進一步將作品拉近自己去思索，而不只是讀懂而已**。

思索：「對我來說，狐狸大概就是以前對我說過一番令我難忘的話的〇〇〇吧。那時覺得他有點煩對他很冷淡，但也許是即使不願意還是答應了他一些事，花時間和他相處才建立了情誼吧。」

諸如此類。藉由這樣的思索，慢慢地就會發現只是理解故事情節所無法到達的「深度」。

閱讀的過程中若有赫然一驚之處，一定是與自己的經驗有某些連結。

若置之不理繼續讀下去，會忘記對什麼地方感到驚訝、為何驚訝。所以最好先記下來。直接記在書上，或是寫在筆記本或什麼的都可以。事後就能依據那筆記慢慢深入思索。

## 投入情感閱讀

**不論哪一類的書，只是當作資訊來讀，很難深化思考。當我們動了情感，思考才容易加深。**

具有思考力的人經常動情感。頭腦和感性，兩者都需要。因此「投入情感地閱讀」對加深思考力很重要。

日本發酵學者小泉武夫深入鑽研「發酵」現象。對「發酵」熱愛不已，不斷地為「發酵」所感動。想知道發酵食品的一切，將作為發酵之母的微生物視為珍寶。

讀這樣的小泉先生所寫的書會讓人想要大叫：「發酵這玩意好厲害！太驚人了！」我很喜歡小泉先生的書，有段時期便設定「小泉武夫月」，一個月讀了大約十本書。於是每次吃東西便無法不談發酵食品，無法不感謝微生物的作用。

《法布爾昆蟲記》（*Souvenirs Entomologiques*）應該是所有人童年時都讀過（至少讀過一部分）的書。八成都是一邊讀一邊興奮起來：「糞金龜好厲害！太強了！」「昆蟲真不簡單！」不是嗎？相信都在閱讀的過程中，有如複製法國昆蟲學家法布爾（Jean-Henri Casimir Fabre）的驚訝和感動似的同樣感動一回。只要用心貼近作者的情感，邊閱讀邊產生同樣的感動就好了。

心若動起來，思考也會跟著一起逐漸深化。

## 「讀後感」可以看出思想的深淺

如果只是讀書，沒有動腦筋思考，被問到感想也說不出來。儘管能夠摘要重點，卻講不出半點作者想傳達的訊息或對應到自身經驗後的思索。

有沒有思考力，透過讀書心得便一目了然。假設只有概要的讀書心得是最低等級，那麼再上一級就是「提醒自己不要……」這一類以反省作結束的讀書心得。這類型也是幾乎沒動腦思考。如果讀完日本國民大作家夏目漱石的《心》，寫出「我覺得背叛朋友很不好」這樣的感想，恐怕就是完全沒有發揮思考力的結果。

只是稀里糊塗地閱讀，可能連自己的思考是深是淺都不清楚。不知道這會兒已挖了幾公尺，恐怕也不會萌生再往下挖掘的動力。而有「已經挖得很深咯」這種感覺的人則會繼續挖下去。

因此**要邊讀邊做筆記**。**做筆記會有助於思考的持續深挖**。即便只是一句「正是如此」、「有意思」這類的短評也好，寫下與自己經驗有關部分的關鍵字詞也不錯。

情感若動起來，就加上可表現那樣的情感，如表情符號的標記，應該也不錯。覺得有趣笑了出來，就標上微笑記號；感到吃驚的地方就加上吃驚的表情符號。將閱讀過程中得到的自己的感觸、靈感先記錄下來。

## 深化思考的「對話」、「短評」的活用法

思考需要「外力觸動」。為了觸動它，就不能沒有刺激。靠自己一個人在腦中深入思索並不容易。許多中小學都會以「從現在開始，請用十五分鐘的時間思考怎樣怎樣的問題」的方式製造「思考的時間」，但大部分學生都只有最初的一分鐘在思考，其餘時間都在想完全無關的事。思考卡住了。這時就需要「對話」。

一旦有人對某個想法扔出稍微不一樣的想法，就能繼續思考下去。動腦筋設法解決兩者間的矛盾。

喜歡利用對話深化思考、設計對話發展過程的是蘇格拉底和柏拉圖。對話和單純的聊天不同，是可以瓦解成見，獲得全新認識的過程。

談到蘇格拉底，就要介紹他有名的「無知之知」。蘇格拉底一直認為，藉由對話發覺「原以為自己知道，但其實並不知道」很重要。只要不自以為知道，就會繼續探究下去。能夠慢慢地深入思索。

**要深化思考，對話是最好的方法。**

因此我建議各位**讀完一本書就講給別人聽**。一開始講，思考就會動起來，去想自己必須講什麼。對方若提出問題，或提示不同的理解方式，想法就會進一步加深。

實際試著對話就會知道，記憶模糊便無法好好地傳達給對方；而無法回答對方的提問就表示自己理解不夠。

我從中學時代起，每看完一本書就會講給朋友聽。如果朋友也讀過同一本書就會互相說出自己的感想；如果只有某一方讀過，也會一方敘述、一方提問。即便讀到一半也不管，就是要說。我們對此習以為常。我和那位朋友一直到大學、研究所都同校，所以反覆像這樣讀完書就對話，持續了十年以上。

這成為非常好的思考訓練。

像《罪與罰》（*Crime and Punishment*）這種長到有可能中途放棄的書，我也是讀到一半就講給別人聽，漸漸產生「My Book」的感覺。就是覺得那好像是「自己的書」。這樣會興致更高地繼續讀下去，思考也會更深入。

如果沒有可講述的對象，不妨閱讀短評。現在這時代，上網一搜尋就能找到大量的感想文。

若讀到與自己有相同感想的人的短評，就會覺得「沒錯沒錯，就是這樣」，而能確認自己的想法；有時也會「我沒想到這一點」、「有道理，原來還有這種看法」，讓你發覺新的觀點。或許也有些短評會讓你想提出反駁：「不不不，不可能是這樣的」、「這感想有點膚淺吧」。**提出反駁即意謂著你正在動腦筋思考**。

我會大量閱讀短評，曾經找到對專業書籍讀得非常深入的人所寫的短評。感覺有如在讀書評或講解似的。雖說網路上的文章良莠不齊，但確實也有如寶玉般有價值的文章。

即便是如同普通石頭般的文章也能提出反駁，所以肯定比一個人讀書更能夠深化思考。

## 試著為讀過的書寫推薦文

說到要寫讀書心得，感覺有點沉重，遲遲下不了筆的人應該不少吧。那麼，想一想要怎麼寫一篇向別人推薦的短文，如何呢？近來有些小學會在課堂上教學生寫書的宣傳重點。就是寫一篇讓還沒讀過那本書的人覺得「想讀讀看」的推薦文。感覺比較像是廣告詞，而不是感想。

現在的年輕人似乎很擅長寫作廣告詞這類的短句，也樂於構思這類短句。對寫作長文感覺有負擔，寫作短文倒是很上手，不知道是不是因為社群網站的關係？

不過，要用很短的文章傳達出書的魅力本來就不是一件容易的事。只說「這本書很有趣，請務必讀讀看」，別人當然感受不到魅力。一定要將那本書特有的魅力寫成文章才行。

這麼一來便要思考，那是要推薦給什麼人看的書？為什麼？看了之後會有什麼改變？對自己來說，那本書具有怎樣的價值？

「我希望正朝著夢想或目標努力的人能看這本書。有沒有拋下什麼其實對自己很重要的東西？」

「這本書讓我明白情感的牽絆不只是『相互支持』，還伴隨著責任且要花時間經營。它還促使我重新思考眼睛看不到的東西的價值。」

即使只是一本書的推薦文，也試著多寫幾篇吧！**別一開始就想要絞盡腦汁寫出「最滿意」的文章，差強人意也沒關係**，先求多產，之後再篩選會比較容易寫成。只要寫出一、兩句便會受到刺激想起其他句子，還能深化思考。

我有時會接到書腰文字的請託，我會擬出約二十個文案。一開始先寫出十個後便停不下來，最後寫出二十個。頭腦一開始轉動就會有各種各樣的點子冒出來。

想好推薦文的話，貼到推特等的社群網站也不錯。也許還會因此產生對話。

## 選出三個自己喜歡的文句

在思考對自己來說有什麼價值、有何魅力時，最簡單的就是從書中「選出自己喜歡的文句」。

我經常告訴人要「**選出三個自己喜歡的文句**」。事先選定三個喜歡的句子再閱讀。這麼一來就不是用千篇一律的感覺閱讀，而變成在尋找看似浮在紙面的文句。**找到的話就用紅筆或藍筆圈起來，會更加凸出。這會有助於深入思考。**

我集合一群小學生開辦私塾時，也曾用歌德或莎士比亞等人的文本讓他們做這件事。雖然有些艱澀的句子，他們還是用小學生的方式閱讀選出喜歡的文句。如果讓他們公開發表同時說明選擇的理由，氣氛會很熱烈。兩人一組互相聊的話，會聊到欲罷不能。

這時思考已相當深入。所以會大大方方地說出自己的看法。這就是「選擇 & 評語」。

只是選擇，所以很簡單。但思考卻很深入。

## 面對作者也要吐槽

**要稍微保持距離，同時在閱讀中發揮思考力，最好的方式就是「吐槽」。**

像搞笑藝人那樣，邊讀邊取笑作者：「不可能會那樣的」或「你行了！」。

讀尼采最後一本著作《瞧！這個人》（*Ecce Homo*）時一邊吐槽——「我為什麼那麼有智慧」、「你行了」；「我為什麼能寫出這麼優秀的書」、「你夠了」；「讀書——我稱之為不道德的行為」、「說得太過分了吧」等。

讀馬基維利（Niccolo Machiavelli）的《君王論》時，先贊同再吐槽——「損害行為必須一鼓作氣做完」、「沒錯沒錯，要一鼓作氣……你好壞喔」；「相反的，恩惠要一點一點地賜予，以便讓百姓好好品嘗」、「沒錯沒錯，一點一點地給我……感覺好奸詐喔！」等。

由於偉大的作者多半是性格極端之人，所以要這樣稍微後退一步，邊笑邊讀。這樣做就不會完全被作者吞沒，而能在閱讀中保有自己的想法。

即便是《哈姆雷特》，把哈姆雷特的煩惱放到自己身上雖然會笑不出來，但若拉開一點距離閱讀，就能吐槽：「哎呀，那樣有點想太多了」。

對於奧菲莉亞，突然要她「去修道院」，會想吐槽：「不是這樣吧，哈姆雷特！」笑即表示情感已經啟動。邊笑邊讀，那樣的讀書經驗本身便很有趣，會留下深刻的印象。

## 促進思考的「預測式閱讀」

還一種有益於**促進思考的讀書法是邊預測邊閱讀**。

猜想下一句應該會這樣、接下來可能會這樣發展之類的。這也要動用頭腦。只是「嗯、嗯，這樣啊、這樣啊」，彷彿理所當然地閱讀，到頭來完全沒動腦筋想，什麼也沒留下。

大部分被譽為名著的作品都會有違你的預測。會超出你的想像。這時你就會感嘆：「啊——，居然來這招，厲害！」思考也更容易深入。

我讀村上春樹先生的小說也會有種「果然很會說故事」、「超乎預料」的感嘆。當然，並非讓讀者的預料落空就是好的。讀村上春樹的作品讀得相當深入的人，相信漸漸便能預測他的下一步。「就知道會這樣」、「已經預料到了」，覺得很開心。即使設定不同，但已能看出某種模式、風格，所以能夠預測。

預測對了會很開心，預測落空也一樣歡喜。如果尊敬一位作者，就能用這樣的方式閱讀。反之亦然，用這樣的方式閱讀之下，慢慢就會對作者產生敬意。

孩提時觀賞紙戲劇*時，每次翻頁應該都會有種「下一張會是什麼呢？」的心跳加速感。讀書也有翻頁的動作，不妨加以利用。

預想下一頁的內容同時翻頁的瞬間會覺得好緊張。

這會吸引人繼續讀下去，並且有助於促使人動腦思考。

* 日本傳統的說故事方式，即利用連環圖畫展示和表演的說故事形式。

## 增進思考力的十本名著

### 《笛卡兒談談方法》勒內．笛卡兒

「我思故我在」這句名言即出自這本書。闡述有助於我們依靠理性而活，以理性當武器探究真理的方法。

笛卡兒為使探究真理的方法變得更簡單，定出四原則：「避免輕率地判斷和偏見，除非有明確證據確認為真的事物，否則不接受它為真」、「將複雜的問題分割成一個一個小問題」、「由單純到複雜，一個一個解決」、「完整列舉和重新檢討」。為養成依這四原則進行思考的習慣，不斷鍛鍊。並坦率、誠實地講述整個心理過程，這點很好。是本容易閱讀、精心寫就的書。

## 《邏輯哲學論》維根斯坦

命題這樣的思想形式好酷。奧地利哲學家維根斯坦（Ludwig Josef Johann Wittgenstein）在《邏輯哲學論》（*Tractatus Logico-Philosophicus*）中談到他「試圖為思想畫出界線」。能夠畫界線的是語言，在界線以外的都無意義。意思就是，我的語言界限即是我的世界的界限。

「對於無法談論的事，我們只能沉默」。本書不像一般的書那樣分章節，而是採用將一個一個短命題編號這種與眾不同的敘述方式，乍看也許會覺得錯愕。不過，這樣的寫法也完全符合維根斯坦的思考歷程。

## 《五輪書》宮本武藏

日本江戶時代劍術家宮本武藏六十歲時所寫的通往心技體融合為一這最高境界的方法。要達到「萬里一空」的境界唯有「鍛鍊」、「用心」和「琢磨」。不只是反覆練習，還要用心感受、仔細琢磨提高品質。

兵法祕訣的《五輪書》並不是純粹為了知道而讀的書，而是要照著書中的內容逐一練習，是鍛鍊用的書。比方說，「節奏（時機）」。書中談到節奏亂掉是最糟的狀況，所以要鍛鍊節奏。「攻擊節奏」、「間的節奏」、「背離節奏」。將節奏概念化後加以掌握，作為應當習得的技術提示出來。讓人對高手的認知力深受感動。

## 《風姿風傳》世阿彌

為了讓一族之人能靠著「能」這項技藝，在嚴峻的世界中，生存下去的祕傳之書。觀阿彌、世阿彌父子不僅受到將軍和貴族們的賞識，同時致力贏得一般大眾的喜愛。即品質高、一般都能接受的技藝。

這也是現代職場共通的課題，很容易拉近自己去思考。雖然不好閱讀，但不妨抱著找到「祕則是花」、「初心不可忘」之類的名言將它納為己有的心情來閱讀。畢竟是背負著文化重擔的人傾注熱情寫就的祕傳之書，釋放出莫大的能量。

## 《瞧，這個人》尼采

這是尼采最後一本著作，同時也是自傳。從目錄看來很不得了。「為什麼我這麼明智」、「為什麼我這麼聰慧」、「為什麼我能寫出這麼優秀的書」、「為什麼我就是命運」。由尼采本人親自闡明自己以往至今的思想和著作。感覺極端的表現也顯露出他敢於冒險對抗時代的氣概。尼采在成書的一年後精神崩潰，從本書可感受到他逼近瘋狂的認真性格。其話語中帶有非常大的力量。

## 《君王論》尼可洛．馬基維利

許多當代的經營者和領導人也愛讀的《君王論》（*Il Principe*）。本書比較是根據現實具體提出應當怎麼做的建議，而不是講述賢明的理想君主圖像。

閱讀時，若將合理且務實的義大利政治哲學大師尼可洛．馬基維利（Niccolò Machiavelli）的想法挪到現代自己的狀況中，會得到滿滿的啟示。「損害行為應當一鼓作氣做完。另一方面，恩惠則必須一點一點地賜予，以便讓百姓好好地品嘗」這一類的忠告等，也許聽來像是統治術，感覺很恐怖，但若解讀成「訓斥時要一鼓作氣，不要嘮嘮叨叨拉很長」，便很實用對吧？

## 《饗宴》柏拉圖

將蘇格拉底的對話留傳下來的柏拉圖著作中，《饗宴》（*Symposium*）* 尤其容易閱讀。

書名饗宴指的是在享受美酒佳餚之中愉快地談天，也就是「聚會」。而且這裡談論的主題是愛情。能言善道的參加者們談論著愛神厄洛斯。擔任壓軸的是蘇格拉底。蘇格拉底對參加者拋出問題，使論點集中，並逐漸逼近愛的本質。

既可觸及愛智和無知之知這一類根本性的哲學部分，又傳達出蘇格拉底的人物像，建議作為了解蘇格拉底的入門書來閱讀。

## 《何謂歷史》愛德華．卡耳

《何謂歷史》（*What Is History?*）「歷史是現在與過去的對話」。這是作者愛德華．卡耳（Edward. H. Carr）的歷史哲學精神。歷史學家雖然是研究過去的事實，但對古老文獻記載的事實的解釋，無論如何都會摻入「對現代的意義」。說是歷史事實，但卻不是事實本身。

而厲害的是，卡耳的歷史哲學更進一步走進「未來」。現在會隨著時間的腳步侵入未來，同時改變過去的樣貌，意義也漸漸轉變，沒有完成之時。這是高度的哲學，但由於是卡耳在劍橋大學的演講實錄，很容易閱讀。

## 《可躺著學習的結構主義》內田樹

《可躺著學習的結構主義》（寝ながら学べる構造主義）以淺顯易懂的方式徹底

＊台灣通行的譯本書名為《會飲篇》。

講解二十世紀重要現代思想之一的「結構主義」的入門書。結構主義的代表性思想家為現代語言學之父索緒爾（Ferdinand de Saussure）、法國精神分析學大師雅各·拉岡（Jacques Lacan）、法國人類學家李維史陀（Claude Lévi-Strauss）、法國哲學家米歇爾·傅柯（Michel Foucault）等人。結構主義的思想複雜難解，但這本書卻可以讓人不斷讀下去。

其文章保有深度同時淺顯易懂，可理解它為什麼經常出現在國、高中和大學的入學考題中。不限於這本，讀內田先生的書，就會為他自己動腦思索、勇往直前的姿態感到振奮。

### 《快思慢想》丹尼爾·康納曼

《快思慢想》（*Thinking, Fast and Slow*）由心理學家，同時也是諾貝爾經濟學獎得主丹尼爾·康納曼（Daniel Kahneman）所寫的行為經濟學的書。徹底解析我們是如何受到一些小事牽引而做出錯誤的判斷。前提是我們有兩套思維系統：像直覺和情感那樣自動發動的快速思考模式，和要有意識地努力發動的慢速思考模式。而且不論哪一種思考模式都會出錯。

康納曼一面追溯其研究結果，一面向讀者拋出問題：你會怎麼判斷這個？由於分量很重，感覺會半途而廢的人只讀下卷的「展望理論」也無妨。

第4章

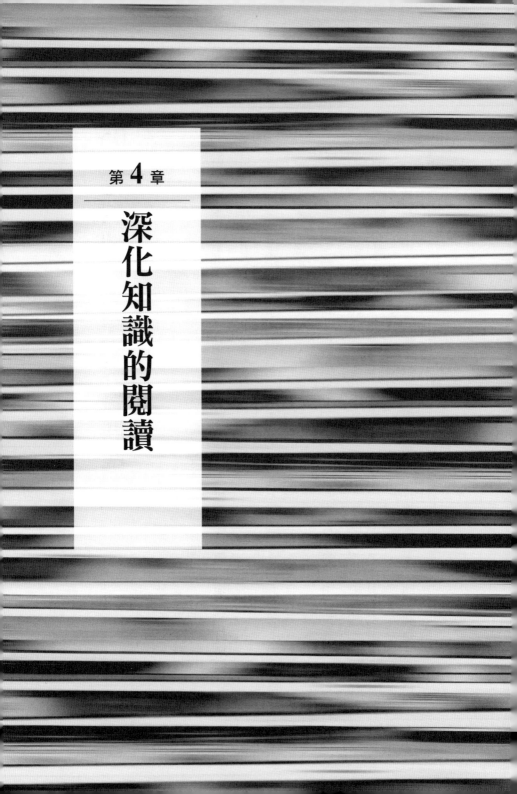

# 深化知識的閱讀

# 05 理科閱讀，讓視野變開闊

若感覺自己擁有的知識不足，比方說自然科學，不妨積極閱讀那一類的書籍。**知識與認知不可分割。沒有知識只想要鍛鍊頭腦也很難見效。知識一旦增加，認知力也會提升，兩者之間存在這樣的關係。**

自然科學類書籍也許是文組人不輕易碰觸的領域。理組人似乎不太排斥文科的內容，但文組人好像多半對理科的內容懷有心理障礙。

不過，文組的強項在於「看得懂書」。理科內容的書肯定也是用語言構成。如果出現算式，跳過算式部分閱讀整體應該也能理解意思。文組人不妨這樣想：「既然看得懂書，守備範圍便涵蓋所有領域」。

**一旦擁有宇宙、生命、物理等自然科學的知識，世界便一下子開闊起來。微觀的世界和巨觀的世界都有滿滿的驚奇和感動。說不定連人生觀都會為之一變。**

現在坊間有許多幫助人理解理科內容的優秀科普書。要理解牛頓的物理學，不見得一定要讀《自然哲學之數學原理》（*Principia*）。文科類的經典，威力不同凡響，但理科類書則會隨著時代持續發展。適合兒童閱讀的科學讀物中也有許多有趣的書。

現在全國中小學都在舉辦「理科閱讀活動」。這是為培養親近科學、積極學習理科知識的熱情，推薦理科類書籍的活動。瀧川洋二編著的《開始讀理科吧》（理科読をはじめよう）一書介紹了學校圖書室或各地區推廣「理科閱讀」的實例，同時推介科學讀物。因為是推薦給兒童閱讀，所以不太會有艱澀的書。但已能充分感受到科學的深奧。

比如三宅泰雄的作品《空氣的發現》（空気の発見）。即發現氧和二氧化碳等氣體的故事。用平易近人的文章為我們解析天空為什麼是藍色？空氣中為什麼含有阿摩尼亞？這一類生活中會有的疑問。

土佐幸子所寫的《萊特兄弟為什麼可以飛上天？──透過紙飛機獲得的成功祕密》（ライト兄弟はなぜ飛べたのか──紙飛行機で知る成功のひみつ）則是一邊實

際利用紙飛機做實驗，一邊學習比空氣重的物體在空中飛翔的原理。可以一邊體驗萊特兄弟投注的心思和成功的過程，一邊感受到他們對科學的態度，真的很不錯。

想要有導覽為自己引介正宗名著的話，建議讀京都大學鎌田浩毅教授的《理解世界的理科名著》（世界がわかる理系の名著）。簡單明瞭地介紹義大利物理學家伽利略的《星際信使》（*Sidereus Nuncius*）、德國生物學家魏克斯庫爾（Jakob von Uexküll）的《生物所見的世界》（*Streifzüge durch die Umwelten von Tieren und Menschen*）、古羅馬作家老普林尼（Gaius Plinius Secundus）的《博物誌》（*Naturalis Historia*）、美國分子生物學華生（James Watson）的《雙螺旋》（*The Double Helix*）等名著是在怎樣的狀況下寫成，又帶給世界怎樣的衝擊。

另外，我也出了一本《為文組所寫的理科讀書術》（文系のための理系読書術）。從可以一邊愉快閱讀一邊學到科學知識的小說、漫畫，到追蹤世紀大發現的紀實報導、經典名著，介紹五十本左右各種類型的書。

借助這樣的導覽慢慢拓寬自然科學的世界，各位覺得如何？

## 「驚訝」是知識探究的開端

聽到愛因斯坦這名字，各位立刻會聯想到什麼呢？也許不少人會想到那張吐舌頭的幽默照片。他是確立以「相對論」為代表，猶如顛覆那之前的物理學常識的偉大理論的天才。

世界上最有名的方程式 $E = mc^2$ 是愛因斯坦在狹義相對論中發表出來的。大家都知道這個方程式的重要性，但如果要解釋它的意義恐怕就難說了。

大衛．博達尼斯（David Bodanis）的著作《$E = mc^2$》，開頭提到某電影雜誌刊出的卡麥蓉狄亞茲的訪談中，被問到有沒有什麼事想知道的她，回答：「我想知道 $E = mc^2$ 到底是什麼意思？」的小故事。採訪者和狄亞茲同聲大笑，而報導的最後以狄亞茲「我是認真的」這句話作結尾。

身為科學記者的大衛．博達尼斯決定為 $E = mc^2$ 寫一本傳記。沒錯，不是愛因斯坦的傳記，而是這個方程式的傳記。在記敘以愛因斯坦為首的各個科學家、研究者的故事的同時，一併呈現出方程式是如何誕生、一直以來如何為人所用的書。

這短而簡單的式子背後有著一個非常深邃的世界。

若要簡單說明這式子的意思，就是能量（E）等於質量（m）。c是光的速度。光的速度是固定的，一秒可繞行地球七圈半。這樣就知道它的平方是多麼嚇人的數字了吧。

換句話說，這式子代表了，即使一點點的質量也蘊含著莫大的能量。科學家藉由這個式子解開了在那之前無人知曉的太陽之謎——為什麼太陽能夠持續這樣發光發熱？不斷利用核融合將微小的質量轉化為能量，這就是太陽。

原子彈也是如此。原子彈的原理就是讓原子核產生分裂使質量減少，減少的質量便相應地 轉化為龐大的能量。所以它同時也是一個這樣可怕的式子。本身是和平主義者的愛因斯坦在鈾的核分裂被人發現後，領悟到自己的式子可能製造出駭人的武器深感恐懼。

掌握到宇宙的本質，並設計出簡單的公式以便能加以應用，人類的知性不得不令我為之驚嘆。太厲害了！

然而，也有人不會為 $E = mc^2$ 感到驚異。即覺得「那又怎樣？完全搞不懂」的人。一出現算式就大呼「沒辦法」，根本不想了解。或是說：「《源氏物語》？我覺得古文很枯躁乏味」、「不知道 X 軸、Y 軸也照樣活得下去」等，不想要進入深處探究。

恕我冒犯，這就是「沒有文化素養的人會擺出的粗魯態度」。

我們會**對值得驚異的事感到吃驚，其實是因為有文化素養**。各位也許以為擁有豐富的知識和文化素養的人應該不太會感到驚訝了吧，但其實正好相反。知道得愈多愈能夠發自內心感到驚訝。沒有知識的話，根本看不出有何厲害之處。於是不太感覺得到。

柏拉圖在《泰鄂提得斯》（*Theaetetus*）中，讓蘇格拉底說出「所謂的驚異，驚異之情是知識探究的開端，也就是所謂的哲學」這樣的話。

感到驚訝於是逐漸深入探究可說是很符合人性的行為，不是嗎？

## 知識增長有如細胞分裂

想藉由讀書深化知識時，一開始也許不會感覺到知識增長。明明讀過卻沒有印象，確實會感到徒勞：「這樣讀書有意義嗎？」但不必悲觀，懷疑自己是不是笨蛋。

各位在思考知識的增長方式時，是不是通常會把它想像成付出十分努力便增加十分，付出二十分努力便增加二十分，像這樣成正比的圖呢？可是我的感覺並非如此。而是像細胞分裂那樣成倍數成長的感覺。

一變成二，二變成四，再變成八、十六、三十二、六十四、一百二十八……。

一開始看似沒什麼了不起的差異，但分裂得次數愈多，差異便愈大。

讀書也是如此，最初的二十本、三十本既不會感覺知識有什麼增加，還會覺得讀起來很吃力。就是很努力地進行細胞分裂，可是「細胞才十六個，這樣沒辦法長成人喔」的狀態。然而達到某個階段後，就會突然產生愈來愈能夠吸收知識的感覺。由於了解的事物變多，新的知識也開始能順暢地進入腦中。

**已知的事在腦中扎根成為可靠的知識，對新的事物也能發現「關聯性」**。看出「啊，跟那個是一樣的」，或是「這部分相通」。**知識愈來愈融會貫通，因而加快增加的速度**。

對於一無所知的領域，就算拚命讀也很難在腦中留下記憶。只要有某種程度的基礎知識，連新話題也跟得上。讀過一千本書的人，讀第一千零一本時會讀得很快，並能留住知識。而讀過一百本書的人，第一百零一本以後的成本效益也算不錯。

# 一個主題連讀五本，便是「A級」

**想要了解某個主題時，連續閱讀大約五本即可獲得相當的知識。**

對於一位研究者或學者，我大概都會連續讀五本他們的著作。這麼一來，讀到第五本時便會感覺有如一再重複同樣的事。表示知識已固著到這等程度。

完全陌生的領域只讀一本、兩本還不會成為自己的東西。應該也有很多無法理解的地方。雖說如此，但如果想一行一行地理解，恐怕會停滯不前半途而廢吧。倒不如以忘掉八成也無所謂這等輕鬆的態度，先試著從頭讀到最後。讀完之後再讀同一位作者的其他著作。

如此重複。同一本書讀兩次雖然也不錯，但會看膩，所以要讀別的書。就這樣像塗油漆似地將知識慢慢堆疊起來。一開始隨意就好。只要反覆隨意塗抹，油漆一定會愈來愈厚。

利用這種塗油漆的方式讓知識堆積起來，成為「專家」。

新書會將知識整理得緊湊而有條理，非常方便好用。只要讀五本新書就能從「全然陌生」的C級晉升為「相當熟」的A級。即便只讀了兩本也是「有點熟」的B級。讀差不多二十本的話，相信就能達到S級的「超級熟」。研究者層級的人可能要讀兩千本，一般人的話，二十本就算是S級。

比方說，假設現在要讀二十本有關中東巴勒斯坦問題的書。讀一到兩本的人應該很多，但讀到二十本的人則鳳毛麟角。可以成為超級熟悉的專家。宇宙黑暗物質方面的新書五本、黑洞的新書五本、宇宙學的新書五本，若能像這樣讀下來，就是對宇宙相當熟悉的人。

我會把像這樣讀過的有關某個主題的書集中放在書架的一個格子裡。方塊型的書架，一格約可放二、三十本書。每個主題一格，所以尋找起來也很容易。這格是有關福澤諭吉，那格是中東問題，宇宙的在這裡，像這樣分開來。就這樣用格子慢慢增加超級熟悉的領域。

## 注意「連結」會更方便知識的取用

**讀完後要讓知識成為自己所有，講給別人聽是最好的方法**。宛如自己的發現一般，帶著臨場感、放入情感地講述。這樣的話，知識就會牢牢在腦中扎根，變得能夠取用自如。

懂得再多知識，不對人講述也不利用的話，就是暴殄天物。知識要透過對人講述、使用才會綻放光芒。要是被人誇獎「真佩服你，懂得真不少」、「確實有知識喔」，那還會成為助力，激勵你繼續深化知識。

**「脈絡」對使用知識很重要。要按照上下文的脈絡將各種各樣的知識取出**。把書中的小故事歸攏起來告訴別人，談話就會熱絡起來。順著話題的發展，自然地提起書中的內容，從那裡再連結到下一個知識。擅長這樣取用知識的人會被人評價為「有知識的人」。

知識淺薄的人，每一樣知識有如小島般各自獨立，很難連結。因為沒有連結，所以不能按照上下文的脈絡順利取出。就算說出來：「雖然不相干，可是這本書有寫到這種事，說是這樣這樣的。好，結束。」也只會得到打斷談話卻並不有趣這種令人失望的結果。

要能夠高明地取用知識，不妨在讀書時就注意「連結」。若是古書，就要思考它與現代的關聯。前文提到，Japanet Takata 的高田明先生發現世阿彌的《風姿花傳》與商業哲學的關聯，還寫出一本《讀作高田明的世阿彌》（高田明と読む世阿弥）的書。我擔任《兒童孫子兵法》（こども孫子の兵法）的監修，我在這本書中將孫子的《兵法》連結到現代兒童的狀況。

比方說，有句話是「合於利而動，不合於利而止」。即如果對我軍有利的狀況就行動，不利的話就停住不動，意思就是要人看清楚「有利、不利」後再判斷是否行動。《兒童孫子兵法》中以「為將來的夢想煩惱時會受用的一句話」來介紹它。在此引用書中的譯文：

> 要開始做一件事時，不要只考慮自己「喜不喜歡」，也要以「有利、不利」的角度思考。
>
> ——《兒童孫子兵法》

即使是古人的話，若能連結到現代的狀況進行思考，就能當作活的知識來利用。

此外，正在閱讀的書之間也有會有關聯。

比如在讀尼采時會感覺到與歌德的關聯。歌德的《浮士德》（*Faust*）中有句名言：「時間停下吧！你是如此美麗。」尼采的《查拉圖斯特拉如是說》（*Also sprach Zarathustra*）裡也有類似的話：「一切快樂都希求永恆。」因為是尊敬歌德而受他影響的尼采，才會感覺「原來如此，意思相通啊」。

在讀書的過程中若能注意這樣的關聯，一定會更懂得如何按照脈絡取出知識。

# 06 靠認識新的書拓展知識

## 要不要讀「暢銷書」？

暢銷書或是成為話題焦點的書，在它正流行時閱讀也很重要。就是因為它切合那個時代的氛圍才會蔚為風潮，若能**趁熱閱讀，知識的吸收度也會很高**。

比如法國經濟學家托瑪．皮凱提（Thomas Piketty）的《二十一世紀資本論》（*Le Capital au XXIe siècle*），二〇一四年翻成英文之後成為全球的暢銷書，在日本也掀起熱潮。絕對是一本對經濟學，及對今後的社會整體影響巨大的書。

不過，這本書不但很厚，內容也有一定的難度。猜想是不是都一個個中途受挫，或一開始就心生畏懼，只敢用斜眼瞄一下呢？所以才會有大量導讀的書問市，以至於書店另闢一塊皮凱提專區。

書的內容雖然不會過時，但熱潮會在「看起來好難，以後再讀吧」、「擁有更多知識之後再讀吧」如此推拖之中退去。而這種書就是要在當紅之時閱讀，並結合當時周遭人的反應才能理解，也比較能夠吸收知識。

**會因為很難而中途放棄的人，可以只讀主要內容。讀完最重要的部分，並有把握講述那部分**。因為如果打算談整本書，得花二十個小時、三十個小時的時間，用不著做這種事。

《二十一世紀資本論》分析了長達兩百年多年龐大的資產和所得數據，使得書的分量大增，其分析手法也獲得高度評價，可是若不是經濟學的專家，應該沒有必要仔細熟讀這些分析。不過快速翻閱一下，便能明白其數據量之驚人，為其分析感到嘆服。

接著要找出最重要的圖表。皮凱提這本書所講述的，簡單說就是「財富增生的速度比靠工作取得財富的速度快很多。富者將愈來愈富，貧富差距只會逐漸擴大。照這樣的情況下去絕對追趕不上，除非刻意製造不利條件」。有張圖表最能佐證這樣的說法。找出那張圖表，閱讀那部分的文章。

這樣做就等於直接觸及皮凱提所談論的核心。於是能夠帶著自信，說出「那張圖表好厲害，看到那個就一目了然了是不是？」這一類的話。

即便不是艱澀難懂的小說和漫畫，也要在它正熱門的時候閱讀。日本藝人搞笑組合「空手家」矢部太郎的《房東與我》（大家さんと僕）漫畫二〇一八年六月獲得手塚治蟲文化獎的短篇獎，成了非常熱門的話題。我實際閱讀之下，覺得「原來如此，這確實讓人感到一股微微的暖意」、「可以和房東建立這樣的關係真不錯」等。

它也可能成為一個契機，讓自己遇見不屬於自己守備範圍內的書，所以不妨好好利用流行熱潮。

雖然也有人說「不讀暢銷書」，可是這樣的話接觸範圍就是會愈來愈窄。要這樣想：這麼多人在讀一定是有什麼好的地方，乖乖地搭上潮流，知識才會逐漸增長。我一直覺得**趕流行也是享受知性人生的一種方式**。

## 利用「遇上的瞬間」拓展知識

**不只要「趕搭熱潮」，也建議利用「遇上的瞬間」拓展知識。**

比方說，逛書店碰巧看到什麼書就買下來讀。決定今天要買兩本書，然後在書店大略逛一下。不是只去自己常逛的角落，要擴大範圍尋找。在拓展知識的意義上，盡量找陌生領域的書應該是不錯的做法。找到今天覺得感興趣的書後買下來，立刻去咖啡館閱讀。記下關鍵字詞、感受到的情緒，或是畫線，總之先花三十分鐘閱讀。

相信光是這樣就會感到「啊——，今天為新知識開了眼界」。

**「遇上就讀」的重點是有助於把偶然變成必然**。偶然遇上一本書便買下來，這意謂著不見得會挑中名著。

也許讀了之後才發現非自己所好、很難懂等，覺得「老實說，損龜」。可是我覺得這樣很好。

因為想要吸取多一點的知識而閱讀。若能因此接觸到完全陌生的領域、動腦筋思考，那本書就有了價值。

那一本也許會成為引發你去接觸其他書的契機。也許會成為划向知識汪洋的最初一本。

就連成日埋首書堆的我，依自己的眼光所挑選的書中，實際「可用之書」也是三本中有兩本的程度。一本則是很遺憾，與自己無緣的書。即「損龜」。沒有讀書習慣的人要選中完全符合自己理想的書相當困難。

因此與其精挑細選，不如遇上了就讀，總之先多掌握一點知識再說。讓它成為一個「連結」。要用這樣的想法閱讀。

還有一種方法是**乖乖讀別人推薦的書**。

本書也有數本推薦書目，還有圖書指南式的書籍和雜誌，網路上也有許多書訊。就是一本接一本地閱讀自己喜歡的書評家，或感覺值得信任的人推薦的書。

參考如一九七六年起每年夏季舉辦的「新潮文庫一百本」活動應該也不錯。

此外，就國內外經典名著大致搜羅齊全的文庫來說，有岩波文庫、講談社學術文庫、光文社古典新譯文庫、筑摩學藝文庫等。從價格合理又能接觸到原著的角度來看，文庫系列是最好的選擇。光是在書架上擺滿這一類文庫就會覺得很神氣，所以先試著收齊這類文庫，各位覺得如何？

## 靠圖鑑、百科事典理解「全貌」

心理學、大腦的構造、宇宙的構造等，有圖會比只有文字說明更好理解的領域，先利用圖解掌握全貌，就會改善吸收知識的情況。Natsume社的「圖解雜學系列」和新星出版社的「徹底圖解系列」等我也經常購買，可以輕鬆地翻閱，我非常愛惜它們。突然忘記前面讀過的內容可以輕易地回頭看，也比較容易知道知識的位置。

我也很推薦三省堂的「大圖鑑系列」。大開本的《經濟學大圖鑑》、《哲學大圖鑑》等，有豐富的圖片和插圖可以欣賞。

缺乏自然科學方面知識的人，從兒童圖鑑入門應該也滿好的。講談社「會動的圖鑑MOVE」系列附DVD，不只有插圖和照片，還可以看到動態情景。《宇宙》卷甚至詳細介紹黑暗物質，可以一邊欣賞宇宙最新的樣貌一邊學習。

這一類**圖鑑和圖解系列、百科事典形式的書籍的優點是，可以快速地閱讀**。

我有時也會教人怎樣速讀，大多數人都很難做到速讀。用眼睛依序順著文字閱讀無論如何就是會花時間。因為腦中已有「書是一行一行閱讀」這樣的認知，很難觀看整體。

但如果是圖鑑，就有辦法速讀。可以觀看整體，啪、啪、啪地翻頁。花時間仔細熟讀固然重要，但能夠同時且迅速地接觸到大量的訊息也很重要。

這樣說來，不妨一口氣買齊二、三十本自己中意的系列。不是一本、兩本買來慢慢看，要一口氣把它攻下。一天看一本，一個月看三十本。這樣的話就能大略掌握重要的主題。

## 擁有現代必備知識的十本名著

**《$E = mc^2$》大衛．博達尼斯**

圍繞著愛因斯坦發表的世界最著名方程式 $E = mc^2$ 的非小說。c代表光速，為常數。

這個式子所代表的意思是，能量可以轉換成質量。我們已知科學家利用這個式子解開太陽能夠持續發出能量之謎，而這個式子也與原子彈這類武器的原理息息相關。不僅如此，它更被應用在眾多現代所使用的醫療機器、家電製品中。有許多科學家參與了此方程式的誕生和實際應用，其宏大又高潮迭起的過程也值得一讀。

## 《所羅門王的指環》康拉德．勞倫茲

《所羅門王的指環》（*King Solomon's Ring*）書名來自所羅門王戴上魔法戒指後就能與各種動物說話的傳說。作者勞倫茲（Konrad Lorenz）是諾貝爾獎得主、動物行為學之父，他說即使沒有戒指也可以和動物們說話。透過對動物的愛和觀察就有可能做到。勞倫茲不是把動物關在籠子裡觀察，而是讓他們自由活動，一起生活。其甘苦談也很有趣。鷚鳥會把最初看到的動物認作母親的「銘印行為」研究即來自勞倫茲的觀察。書中滿載驚奇和感動人心的小故事。

## 《宇宙是由什麼構成的？》村山齊

《宇宙是由什麼構成的？》（宇宙は何でできているのか）以簡明易懂的方式講解粒子物理學的基本概念，同時深入探究「宇宙是如何開始？」「宇宙今後會如何？」這類謎題的書。基本粒子是組成物質的最小單位，尺寸為十的負三十五次方公尺。而另一方面，目前實際可觀測到的宇宙大小為十的二十七次方公尺。

將小到岂有此理的世界和大到不可思議的世界連在一起思考的趣味。可以一邊粗略地理解超弦理論、夸克理論和微中子等學說，一邊遙想宇宙的形成和未來。

## 《日本思想全史》清水正之

從《古事記》中記載的神話、近代思想到現代哲學，可以一口氣探索日本人思想的新書。簡單介紹那個時代的文化和文本，講解從中透露出的思想。比方說，《平家物語》開頭的用典提示了一種與貴族世界的「轉世」迥異的無常觀；岡田英弘的《倭國時代》則檢證古事記、日本書紀等古代文獻，捕捉古代日本在東亞整體中的樣貌。

可帶給人智識上的刺激。書中附有日本思想史年表和學習日本思想史用的文獻清單也很實用。

## 《常用字解「第二版」》白川靜

漢字研究的第一人白川靜先生所寫的漢字辭典。教導讀者認識兩千一百三十六個常用漢字的成字過程。比方說，「見」這個漢字來自側面看的人形上頭有眼睛的象形文字。並解釋：「見這個行為意謂著與對象保有內在聯繫。比如，見到茂密的森林、水流會汲取其自然具有的強大力量」。

而且能獲得漢字形成當時的古代社會知識，真的饒富興味。讓人為漢字的精采和深奧深深感動。

**《愛奴文化的基礎知識》愛奴民族博物館、兒島恭子**

北海道的原住民族愛奴族*擁有獨特的文化。愛奴語雖和日語也有相似的語詞，但是完全不同的語言。它沒有固有文字，以口傳方式流傳下來。然而明治時代以降，愛奴人特有的風俗習慣遭到禁止，說愛奴語的人口在接受日語教育的情況下逐漸減少。一個語言被趕盡殺絕，這是非常嚴重的文化問題。

本書是概略講解愛奴人的語言、料理、服飾、住居、信仰、歷史等的入門書。日本考古學家瀨川拓郎的《愛奴學入門》則以交易民族來勾勒愛奴人的形象，很新鮮。同時可了解到最新的研究成果。

**《欲望的民主主義》丸山俊一、NHK「欲望的民主主義」製作小組**

日本電視台NHK BS1曾經有個有趣的特別報導節目《欲望的民主主義～世

---

* 愛奴族是日本北方、俄羅斯東南方的一個原住民族群。

界的景色改變時～》》。本書是抽出節目中美國社會心理學家和德國哲學家等六人的訪談重新構成。英國脫歐、美國川普總統的誕生、法國極右政黨抬頭等，在世界劇烈轉變之中，回到根本處思索「究竟何謂民主主義」，同時竭盡所能去理解現在的民主主義。非常本質性的內容，讀起來發人深省。

**《資本主義的終局及未來的世界》榊原英資、水野和夫**

想信許多人都感覺到以「更快、更遠、更合理」為行動原理的資本主義已來到臨界點。那麼，資本主義走到盡頭之後未來又會是什麼樣子呢？本書從資本主義的歷史，根據豐富多樣的數據，理解現代的世界經濟、日本經濟，提出對未來的建議。

可精簡扼要地了解世界經濟的流變；而「資本主義將走向何方」單元則是以兩位作者對談的形式進行，很容易閱讀。

**《人類的未來》諾姆．杭士基等人、吉成真由美 採訪**

本書採訪美國語言學家杭士基（Avram Noam Chomsky）和美國未來學家庫茲維爾（Ray Kurzweil）等世界知名學者和思想家們，談他們對未來的看法。專門撰寫科學類文章的吉成真由美的提問切中本質，非常精采。靠這一本就能簡略了解AI、經濟、民主主義、都市與生活形態、氣候變遷。並請各個學者推薦書目，可感覺到其背後的文學、哲學素養，這點也很好。同一系列還有《理性的逆轉》、《理性的英斷》，請一併閱讀。

**《人類大運命：從智人到神人》尤瓦爾．諾瓦．哈拉瑞**

《人類大運命：從智人到神人》（*Homo Deus: A Brief History of Tomorrow*）是世界知名暢銷書《人類大歷史：從野獸到扮演上帝》（*Sapiens: A Brief History of Humankind*）的續集。人類為克服饑荒、傳染病、戰爭竭盡一切努力。若問這三項難題幾乎都被解決的現在，人類想要挑戰什麼？歷史學家哈拉瑞（Yuval Noah

Harari）說是「升級為上帝」。智人（人）企圖變身為神人（上帝）。這令人震撼的未來圖像讓人感受到一股理智上的興奮，同時也伴隨著恐懼。請各位務必趁著熱潮讀讀看。

第 5 章

# 培養人格的閱讀

# 07 觸碰偉大人物的胸襟

**讀書對深化人格非常有用。我們有時會稱品格優秀的人為「人格者」，而人格即是個人的知識、思想、情感、性格等綜合而成的存在狀態。也可以說是人特有的本性。**

孔子稱人格出眾為「仁」。並認為人格「要透過學習讓它臻至成熟」。

孔子本身擁有偉大的人格，因而受眾人仰慕，並被弟子寫下《論語》那樣的傳世之作，可是他說：「我並非學過很多、懂很多道理的人。而是將一個基本思想貫徹始終的人（一以貫之）」。意思是，他終其一生努力想要培養出以「仁」為代表的人格，如此而已。

孔子的弟子們直接接觸到孔子的人格，想必也讓自己的人格深化了吧。就是說，身邊有高尚人格的話，就能從那人身上獲得深刻的學習。學得愈多，愈能使人格深化。

孔子雖然沒有寫下自己的思想留傳後世，但弟子們將師生間的談話記錄在《論語》中。活在現在的我們也能夠透過書接觸到孔子的人格。

姑且不論是不是像孔子這樣的人格者，留下被稱為名著這樣作品的作者肯定很有才氣。因為有過人之處才能留下偉大的作品。

福澤諭吉留下《學問之勸》這本非常優秀的著作，但《福翁自傳》也非常有趣。我甚至懷疑，恐怕再沒有人能寫出那樣有趣的傳記。其背後有著明治維新前後這樣波瀾迭起、特殊的時代背景。而福澤諭吉本身人格之恢宏也很吸引人。

在大阪適塾*求學時期，就算努力念書也不可能找到好工作，他卻說：「沒有人要讀這麼艱澀的東西，我們就讀吧」，書中便記載了他抱著這樣的精神所做的事。

* 江戶時代後期緒方洪庵在大阪開設的蘭學私塾。蘭學指的是江戶時代經由荷蘭人傳入日本的語言、人文、自然科學、技術等的總稱。

緒方的書生即便苦讀幾年成了多麼偉大的學者，仍舊與實際的工作無緣。換言之，即與衣食無緣。既然無緣，萬萬沒想過要刻意追求。因此我無法說明既不是為前途著想，亦不為求取功名，那是為何苦讀。豈止不求取功名，世人一提及蘭學書生全無好話，我們也已徹底自暴自棄。只是不分晝夜苦讀艱深的原文書，覺得津津有味。雖說前途茫茫，但進一步叩問當時書生的內心，自然有番樂趣。

簡言之，即日本全國唯有我們能夠看懂西洋日新月異之書。儘管貧困艱苦，粗食淡飯，是個落魄潦倒的窮書生，但我們的智力思想之活潑高尚，自信可睥睨王公貴族。愈艱澀的書愈是吸引我們，感覺已到了苦中作樂，苦即是樂的境界。

——《新訂福翁自傳》，福澤諭吉

怎麼樣？這麼清新暢快的文章！可以充分感受到福澤爽朗的性格對吧？會覺得

「真是爽快的人啊」，心情因而愉快起來。為了成功而學習多膚淺！任何行動都講求合理性、換算成金錢，若抱持這樣的想法，無論如何都無法到達這種大人物的深度。

福澤爽朗的性格很迷人，但也有人是以情感細膩吸引人。比如日本詩人中原中也。我不知道細膩的尺度可以用大來形容嗎？讀中也的詩同樣會為其人格之巨大感動。代表性作品「汙濁了的悲傷上」至今依然人氣不墜。

汙濁了的悲傷上
汙濁了的悲傷上
今日也降下小雪
汙濁了的悲傷上
今日連風也吹過
汙濁了的悲傷

猶如狐狸的皮裘
汙濁了的悲傷
因小雪灑落而縮起

汙濁了的悲傷
不希求什麼不盼望什麼
汙濁了的悲傷
在倦怠中夢見死亡

汙濁了的悲傷上
痛楚且心生恐懼
汙濁了的悲傷上
無所事事也迎來日暮……

——《中原中也詩集》，中原中也

詩裡提到的「悲傷」是透明而美麗的悲傷，否則無法變髒。所以還含有對那美麗的悲傷變髒了的悲傷。不但如此，潔白美麗的雪還落在它上頭。可以把一個悲傷咀嚼到如此細膩的程度，這樣的感性。讓人覺得自己的多愁善感根本微不足道。

詩人就是要不顧一切地面向事物去感覺、感動，做到「普通人會有點受不了」的程度。詩正是中也存在的寫照。

我在教育頻道「來玩日本語」的節目中介紹過金子美鈴的「我和小鳥和鈴鐺」和「大豐收」等詩，這些詩也非常受孩子們喜愛。美鈴雖然已不在世，但她的感性和精神透過她的文字繼續活在世上。這是非常不簡單的事。

種田山頭火也很受歡迎。種田山頭火不寫五、七、五的俳句，他用自己的節律創作出「自由律俳句」。

「撥來撥去，撥不盡的青草山」、「筆直一條路，走來寂寥」、「無可奈何的我，踽踽獨行」這一類的俳句很有名。居然一直創作這樣的俳句，真是個怪人。雖然是個怪人，但作為一個流浪者卻是一流。他擁有偉大的人格。所以一接觸到山頭火的世界，連孩童也會有孩童自己的心靈觸動。有些覺得有趣，有些會說「我喜歡」。他跨越時代持續抓住人們的心。

## 讀懂「超越時代的普遍性」

長久以來，廣受全世界讀者喜愛、閱讀的文學，即使乍看好像寫的是特殊事件，但其中必定存在普遍性。

比方說，希臘悲劇《伊底帕斯王》。它是距今將近兩千五百年前創作的戲劇，主人翁所處的環境與現在天差地別。

底比斯國誕生了一名男嬰，因得到「這男孩將弒父娶母」這樣不吉利的神諭，父親底比斯國王便下令侍從將兒子丟棄。遭到遺棄的男嬰被鄰國科林斯國王夫婦拾獲，取名為伊底帕斯。

伊底帕斯成長為優秀的青年後，得到與親生父親完全一樣的神諭。也就是「你將弒父娶母」。

伊底帕斯不知道底比斯國王才是他的親生父親。為了不殺害養父科林斯國王，他決定離開王國，卻在途中與巧遇的底比斯國王因誤會而發生爭執，在不清楚對方是什麼人之下就殺了對方。那之後，伊底帕斯因打敗在底比斯出現的怪物斯芬克斯，被迎入底比斯國成為新的國王。並與成了寡婦的王妃有了小孩……。

到此為止是故事的前提。這是當時眾所周知的神話。以這個神話為前提，描寫伊底帕斯得知自己的出身後身敗名裂的故事，這才是索福克勒斯所寫的《伊底帕斯王》。

得到神諭：「找出殺害底比斯前任國王的凶手，把他逐出底比斯」的伊底帕斯，不知道那人就是自己，用盡一切方法想找出凶手。可想而知，伊底帕斯最後把自己逼上絕境，妻子自殺，自己則弄瞎雙眼。

伊底帕斯一生的遭遇也許很特殊。但我們卻能感同身受有著殘酷命運的伊底帕斯的心情。因此才會深受感動：「啊，多麼的悲劇呀！」

日後，弗洛依德由這個不斷深深吸引眾人的故事繼續探究，提出「伊底帕斯情結」的主張。這是精神分析用語，用以表示對與自己不同性別的父親或母親懷有依戀，而對同性別的父親或母親懷有對抗意識的傾向。

> 這齣希臘悲劇的效果並不是來自命運與人類意志之間的對立。（中略）他的命運之所以會打動我們，也許是因為那也是我們的命運。
>
> ——《夢的解析》（*Die Traumdeutung*），弗洛依德

意思就是，伊底帕斯的故事並非個人的特殊遭遇，而是大家普遍都有的經歷。小

孩成長的過程中，父親（同性別的一方）確實可能是最初的「敵人」。「弒父」的母題也反覆出現在古今東西的故事中，包括電影「星際大戰」也是如此。

我們是否充分理解那些故事的深處藏有超越時代的普遍性呢？

## 尋找屬於自己的名言佳句

自己苦苦思索很痛苦，但別人的煩惱卻會讓自己獲益。文學中出現的人物多半都有煩惱。了解出場人物的煩惱後，常常會覺得「自己的煩惱還算小事」，或知道可以如何克服煩惱。

前一陣子，我看了東京電視台的節目《ＹＯＵ為何去日本？》，有位俄羅斯年輕女孩說她來日本的理由是「受到太宰治《人間失格》的影響」。以前因孤獨而活得很痛苦的她，因《人間失格》得到活下去的勇氣。這就是文學跨越時代和國界對生命態度造成影響的例子。

《人間失格》本身是孤獨又痛苦的小說，也許不是能直接讓人對生命興起勇氣和希望那種類型的作品。但至今依然受到眾多年輕朋友的喜愛。

主人翁葉藏不懂「人類的生活」，總是為只有自己和別人不同這樣的不安和恐懼折磨。同時又想盡辦法活得像一個人，想要信任人。

恐怕有不少人邊讀邊在葉藏的身上看到自己的影子，對他的煩惱產生共鳴吧？並且對成了廢人般的葉藏最後到達「現在，我沒有幸福和不幸。一切都會過去」的境界感到安慰。

同樣是太宰治所寫的短篇小說《女學生》，當中有句這樣的話：

明天大概又是同樣的日子。幸福一輩子都不會來到。這我很明白。

儘管如此，我依然願意相信它一定會來到、明天就會來到，懷著這樣的信念入睡。

——《奔跑吧！美樂斯．女學生》，太宰治

《人間失格》中葉藏的人物像與太宰治本人相近，而這個則是十四歲的少女。但即使如此，我們仍能感覺這位少女彷彿真實存在，且能寫出現代高中女生可能會說的話。是一部能充分體會到太宰治的寬大為懷和言詞之巧妙的作品。

話說，這位女學生以她這個年紀豐富的感受力寫下每一天的生活，但在那一天的尾聲鑽進棉被前，腦中所想的卻是「明天又——」。「幸福一輩子都不會來到」這想法看似悲觀，但也能感受到她內心的堅強，不因幸或不幸而時喜時憂，如實地接受現狀，繼續前進。

此刻，對無法指望將來有什麼了不起改變，只能日復一日過著同樣的日子懷有閉塞感的人可能不在少數。

倒不是感受不到日常生活中小小的快樂，只是不太認為會有戲劇性的變化，或如畫一般美好的幸福會來到。先暫且接受這樣的事實，然後在睡前試著相信「明天幸福一定會來到」。這樣是不是就能帶著爽朗的心情入睡呢？如果感到難受，這句話便會成為心靈的支柱。

**話語具有力量**。所以讀書時若突然被某句話打動，就把那句話當作屬於自己的名言佳句收藏起來。「我的名言」會在人生的各種局面幫助到你。所以就當作在尋找「我的名言」，抱著這樣的心態讀書應該也不錯。若找到吸引你的話，請念出聲來，或寫在記事本上，徹底讓它成為自己的東西。

## 觸碰到人生幽微處的四本名著

### 《伊底帕斯王》索福克勒斯

這本可說是為數眾多的希臘悲劇中最精采的一本傑作。認為人類的潛意識絕對存在普遍性的弗洛依德，在這部不斷深深吸引眾多人的作品中發現了「伊底帕斯情結」，並揭示出來，對日後的文化、作品影響深遠。就這層意義來說，更添其經典性。

伊底帕斯在不知情之下，犯下弒父娶母的普世禁忌，又自揭真相，令人惆悵。愈試圖擺脫命運，愈是作繭自縛令自己動彈不得的悲劇，將命運壓倒性的力量和荒謬無理展示在人們面前。

## 《人間失格》太宰治

太宰治的日文造詣非常好，不常讀書的人也會被他的文字吸引進去。而且對人的描寫十分深刻。一旦迷上太宰的世界，對人的理解會一下子加深加速，這麼說一點也不為過。

自殺前所寫的《人間失格》，堪稱是太宰文學的總結之作。頁數不多卻極為深奧。主人翁葉藏無法融入人類的生活，對人懷有恐懼的同時又愛著人、渴望相信人，許多現代人也在他的身上看見自己。是本具有普遍性價值的名作。古谷兔丸的《人間失格》漫畫版，畫面極具臨場感，是最佳的書籍改編漫畫之作，請務必一讀。

## 《心》夏目漱石

以前讀過的人，重讀也一定會有新的發現。說不定還會覺得更加有趣。漱石將出場人物描寫得巧妙又深刻，令人感嘆其聰明才智絕非一般人可及。反覆閱讀時，刻意留意某個關鍵詞應該也會很有意思。比如「溫熱的鮮血」。有一幕是老師對「我」說：

「你想將我的心臟切開，啜飲溫熱的鮮血」，K自殺時也留下溫熱的鮮血。「心」與「溫熱的鮮血」。用這樣的方式閱讀，一定會有新的發現。

**《銀湯匙》中勘助**

這是明治末年到大正時代，中勘助所寫的自傳性小說，非常出色的文學作品。我與筑波大學附屬中學的學生一起進行NHK「一百分鐘讀名著」的特別授課時，介紹的就是這本書。這是中勘助童年時的故事，所以是明治時代，但由於動用了五感描寫得栩栩如生，使得畫面在眼前展開。內心變化的描寫也仔細入微。與自己的童年體驗對照著閱讀，種種感覺便會慢慢甦醒過來。以獨特的感性、出色的語感寫成的文字，也希望各位細細品味。

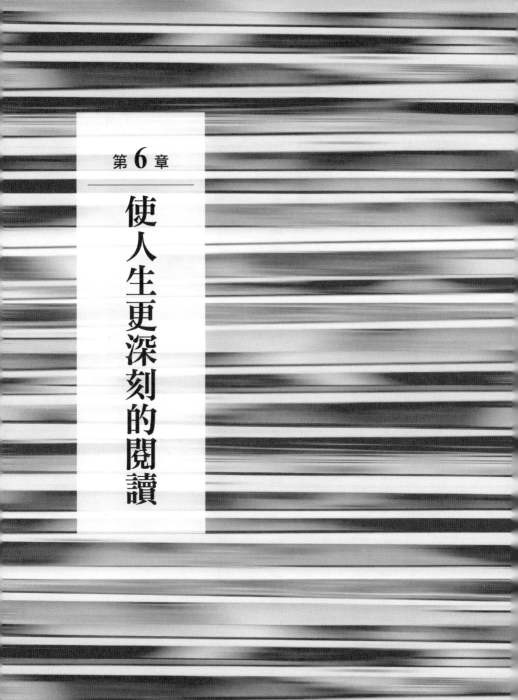

# 第6章

# 使人生更深刻的閱讀

# 08 生命態度比勝負更重要

我們已習慣美式資本主義，覺得「想要成功」的欲望很自然。可是一旦沉浸在文學的世界裡，觀念肯定會改變，認為成功或勝敗都不重要，或者該說是不懂那有什麼意義。

因為**文學與商業上的成功、勝敗是不同層次的東西。文學一直企圖設法理解「活著」的深層意義**。

太宰治寫下多部精采的短篇小說，其中，《眉山》是我尤其喜歡的一部作品。「眉山」是一個在某家小酒館工作的女孩的綽號。敘事者的「我」和朋友們是那家小酒館的常客，但卻經常在背地裡說「眉山」的壞話。從小就愛看小說更勝吃飯的「眉山」動不動就來糾纏身為小說家的「我」和他的朋友們。

而且這女孩常常雞同鴨講。文人們儘管常說「有眉山在，改去別家吧」，但依然會來光顧這家小酒館。不料有一次，「我」得知「眉山」其實患有重病，已辭掉小酒館的工作返回老家，恐怕餘日無多。

以往至今拚命嫌她囉嗦、嫌她無知的「我」，脫口說出這樣的話：「她是個好孩子呀」。大夥異口同聲說她「很想聽大家談小說的事」、「很努力地伺候我們」。從那天以後，大家便不再光顧這家小酒館……。

「眉山」的人生中沒有商業上的成功或勝敗這一類的價值觀。並且嚮往有內涵的人生。假使有人曾聊到誰是勝利組、誰是失敗組，難道不會對如此不入流的話題深感慚愧嗎？

「勝利組、失敗組」是大約十年前人們經常使用的詞彙。當時也許覺得這樣的詞彙挺貼切。但即使是在流行的當時，時常親近文學的人肯定會對使用這樣的詞彙感到遲疑。

就算頭腦聰明，事業有成，猛用這類膚淺詞彙的人也會讓人覺得惋惜，不得不懷疑這人的教養。這是很重要的視角。因為並不是有錢人就很偉大或優秀。或許他很懂得如何在資本主義的競賽中取勝，但那並不偉大對吧？況且還有刻意不要贏的選項。

**一邊探問人生在世的意義一邊深挖即是人生真正的樂趣**。**要活在世上，經濟確實很重要，但當然不是只有經濟。**

聖經有句名言：「人活著不是單靠食物」。意思是，只有物質上的滿足並不算活著。那需要什麼呢？要靠人生的意義活下去。透過讀書培養掌握意義的能力，漸漸便能體會許多事物的深意。

## 探究人生的意義，感受活著的價值

**從試圖理解人生的意義進一步深入探究，慢慢就能深切感受到活著本身的價值。**

思考「對我來說，生命的意義為何？」「我認為什麼有價值？」是非常有意義的事，同時會超越那樣的思索，**感受到「生命本身」就是一種意義，就是一種價值**。

《卡拉馬助夫兄弟們》中也有一句話：「愛生命更甚於他的意義」。最重要的是要愛生命，然後才能理解其意義。

另外，奧地利心理學家維克多・法蘭可（Viktor E. Frankl）回顧他在集中營的經歷所寫成的《意義的呼喚》（*Was nicht in meinen Büchern steht. Lebenserinnerungen*）中有這樣一段話：「真正重要的不是我們對生命有何指望，而是生命對我們有何指望。」

我們往往以為「生命的意義」是以真實的狀態存在，一直在尋找那樣的狀態，可是法蘭可說這樣不行。必須反過來意識到自己正是要回答問題的人。

我們不難想像在精神和肉體都處於超乎想像的極限狀態中「無法對生命抱有任何期待」的絕望。不過，認為「心愛的人在等著我」、「有重要的任務在等著我」的人，即使在這樣的情況下也能生還。

法蘭可當時也是一直想著要活著走出集中營，再次與妻子一起生活，講授有關集中營的心理學。每一個人的存在都無可替代。

一個人一旦意識到自己的存在無可替代，會立刻完整而清楚地醒悟到自己對活著、對繼續生存下去負有重大責任。醒悟到對等著自己完成的工作和所愛的人負有責任的人，不會輕易放棄生命。正因為了解自己「為何」存在，因此能夠承受任「任何」的折磨。

——《意義的呼喚》，維克多．法蘭可

有人說，日本人雖然生活在經濟大國，但幸福度很低。經常跟別人比較，說自己的能力不如人、年收入比人低，壓低自我評價，結果當然不容易感受到幸福。可是，閱讀文學自然會對幸福有不同的認識。想獲得幸福決非壞事，但只是這樣的話，肯定會慢慢覺得那是很膚淺的想法。

## 與東方的身分認同密不可分

我想本書身為東方人的讀者很少會說「我是東方人」。被人問到是東方人嗎？會回答是，但不會特意這樣想。為什麼呢？因為我們並不熟悉東方的經典和精神文化。

即使熟悉佛教、瑜伽、冥想等，但如果沒有碰觸到本質的部分，很難形成「我是東方人」這樣的身分認同。而是聽到別人說「瑜伽能淨化身心」、「冥想能提升工作效能」才採用。對此我感到非常不自然。

近來備受矚目的「正念冥想」是從原來的冥想得到啟發，再去除宗教色彩的修練法。它作為一種有助提高專注力和創意發想能力的訓練法，在美國蔚為風潮。知名企業的員工訓練和商學院也紛紛採用這套方法，且普遍認為已產生一些工作上的成果。

採納冥想中好的部分當然不是壞事，但源自印度並發展到極為高深的精神世界，在美國變質成工具之後才終於傳入日本逐漸扎根卻令我感到可悲。若熟知東方的精神文化，肯定會覺得這樣的傳遞過程很奇怪。

這也與身分認同的問題有關。假設自己與東方的精神文化被切割開來，自然不容易確立身分認同。人若是不清楚自己是什麼人？來自哪裡？心裡會懷著巨大的不安，很難鼓起勇氣面對困難。

反之，若能與包含印度和中國在內、有四千年悠久歷史的精神文化相連，人就會變得堅強。有如將創造東方精神文化的佛陀、孔子等偉人拉進自己這一方。

提到東方的經典，首先就是《論語》。在東亞文化圈的歷史中，《論語》甚至可說是先決條件之一。即便是日本，江戶時代的知識教養生活亦尤重儒學，儒家思想因而成為倫理觀的基礎。這樣想來，我不禁要懷疑有東方人不曾讀過《論語》、不識孔子的話嗎？

和以孔子為始祖的儒家形成對立的是老莊思想。孔子重視包含人際關係和工作在內的現實人生的待人處世之道。老莊思想則批判這一類現實主義的思想，提倡「無為自然」。

老莊思想認為人類是大自然的一部分，遠離人為事物，無為而順其自然是最好。這對日本佛教中「禪」和「淨土」等的思想造成很大的影響，並深入廣大東方人的心中。「井底之蛙」這有名的故事便是出自莊子的話。

佛教也是建構東方精神文化的一大支柱，佛教典籍也是必讀的經典。即使不讀佛教經典，坊間也有許多「佛陀的話」之類的書。若至少讀過這類書籍，相信就能將自己與東方人的身分重疊起來。

難得生在東方，未好好認識東方思想只接觸皮毛的話就太可惜了。希望各位抱著踏上尋根之旅的心情試著閱讀看看。

# 如何讓只有一次的人生變得富足？

「人生只有一次」，當然也沒辦法過別人的人生，所以自己一個人的經驗很有限。經驗愈少，「想像不到」的事物便愈多。也很難想像處在和自己不同環境底下的人的心情。

不過，**我們可以透過書體驗別人的人生。也能有如身歷其境地認識活在另一個時代的人，或活在其他國家的人的人生。**

這非常重要。因為會成為想像他人的感受，把自己投射在他身上進而接納的經驗。人活在世上與人交往，需要理解並承認他人的感受，然後予以接納。這會讓自己成長，同時豐富自己的人生。

《一個明治人的記錄》（ある明治人の記録）是會津藩士*柴五郎少年以後的人生記錄。走過幕末劇烈變動時代的柴五郎日後當上陸軍一級上將。他在中國的「義和團事件」中作為駐在當地的武官表現活躍，備受各國讚賞。據說時代雜誌還報導過他的出色表現，是最早一位在歐美廣為人知的日本人。

《一個明治人的記錄》中所記載的這位柴五郎苦難的少年時代，就是幕末明治維新所謂的「黑歷史」。與勝利一方所寫的歷史不同的現實。

被迫背負朝敵罵名的會津藩遭到薩長聯軍的進攻。五郎十一歲時，父親和兄長最終還是為了作戰前往城裡。家裡的男丁只剩年紀還小的五郎。在親戚的邀約下，五郎要離家外宿。而事實上是，在他出門後，祖母、母親和姊妹就會舉刀自盡。

余絲毫不知此去便是永別，向送至門前的祖母、母親一拜，輿沖沖離去。啊，想不到祖母、母親、姊妹明知今生就此別矣竟送余。

（中略）

＊ 會津藩，是日本古陸奧國會津郡，範圍包含了現在的福島縣西部會津地區。

連僅只七歲的幼小妹妹竟也拿著短劍等待自戕之時，即便余再怎麼年幼也實在麻木。誠感慚愧不已，思及便覺無盡痛苦。

——《一個明治人的記錄　會津人柴五郎的遺書》，石光真人

這是多麼悔恨、難過的心情。從字裡行間可以深刻感受到他背負著當時記憶而活著的痛苦。現實中確實存在如此駭人的時代、駭人的人生。

文章具有非常大的力量，希望各位一定要試著出聲朗讀。我一朗讀這本書便潸然淚下。

單靠自己要使人生感到富足其實很困難。此刻自己會存在於此地，是因為過往的歷史中有許許多多人活過。認識那許許多多人的人生，肯定便能漸漸感受到「生命本身的豐富性」。

## 使人生更深刻的六本名著

### 《馬克白》莎士比亞

有許多深刻的名言佳句，讓人非常緊張、屏氣凝神讀到最後的不朽名作。蘇格蘭將軍馬克白在覬覦王位的野心和對國王的忠誠之間搖擺不定之時，其夫人用激烈的言語挑撥他。

「懦夫，難道你打算這樣庸庸碌碌地過一生？」馬克白一度立誓之後，夫人那句不惜將自己哺乳過的嬰孩「腦漿挖出」的話，給人十分強烈的印象且吸引人。我只要朗讀那一幕，情緒便會高亢起來。請各位務必假裝自己的演員，朗讀、品味一下。

## 《唐吉訶德》塞凡提斯

《唐吉訶德》（*Don Quijote de la Mancha*）書名超級有名，但很少人讀完的名作。全書分為六冊，但完全不會因為篇幅長而覺得吃力。甚至會讓人不捨得讀完，想慢慢閱讀。

這部作品被譽為近代小說的始祖，主人翁是一位讀了太多騎士故事而自以為是騎士的男人。唐·吉訶德與四周人的「感知差距」造成的摩擦，成為不斷推動故事展開的力量。唐·吉訶德和桑丘·潘薩（Sancho Panza）的組合無與倫比。是逗哏和捧哏的終極形式，即不會危害他人，反而會帶給人歡樂的「受人仰慕的名人」，和會彰顯他的存在的友人。

## 《金閣寺》三島由紀夫

三島由紀夫以一九五〇年金閣寺遭人縱火事件為題材所寫成的文學傑作。主人翁是一位個性內向、說話口吃，懷有自卑感的年輕僧侶。書中以自白形式描述他為金閣寺的美深深著迷，內心不斷糾葛，最後為了報復她的美麗和將她據為己有，不惜放火燒掉她的心理歷程。

深刻刻畫人內心對語言的問題和美的矛盾情感，非常耐人尋味。有時我會請學生朗讀這部作品，許多讀完的人都會感嘆「三島由紀夫是個天才」。沒被戰火吞噬的金閣寺卻因人為縱火而燒毀，想到這樣荒謬的事件也因這部作品而活在人們心中，更加令人玩味。

## 《東京奧運》講談社

一九六四年，東京奧林匹克運動會。三島由紀夫、大江健三郎、井上靖、遠藤周作、小林秀雄等響噹噹的文學家們，各自用文章呈現這場世紀慶典的一個場景。

例如以〈白色抒情詩〉為題描寫女子一百公尺仰泳的三島由紀夫。他把在第四名止步的田中選手返回競賽後的水道悠遊其中的身影形容為精采而奢侈的「孤獨」。「這孤獨完全屬於她自己，她的肩上不再有任何人的重擔」。若不是這篇文章，那沒有在任何人的記憶中留下印記的畫面不會鮮明地躍然紙上。大約短短兩頁的文章也具有令人折服的藝術性。

## 《閱讀詩的心靈》茨木則子

作者是寫下「不再倚靠」和「自己的感受性」等著名詩作的日本詩人茨木則子。在《閱讀詩的心靈》（詩のこころを読む）這本書裡，茨木小姐挑選出自己喜歡的詩，滿懷熱情地講述其魅力。

比如日本當代著名詩人谷川俊太郎的〈悲傷〉、中原中也的〈羊之歌〉。經茨木小姐以豐富的感性和精確、溫柔的語言講述的傑出詩作。由於是青少年的新書，作為入門書非常容易閱讀，還會介紹詩人和詩的背景。喜歡的詩請務必出聲朗讀看看。

**《辭世之歌》松村雄二**

在「日本歌人選」系列中，不熟悉詩歌的人也很容易理解、深受感動的就是這一本。收錄了日本戰國三英傑之一豐臣秀吉、日本一代茶聖千利休、日本江戶時代後期作家十返舍一九、日本幕末時期兵法家吉田松蔭等歷史上人物的「辭世詩」。向人世間告別之際，吟詠詩句抒發心情的「辭世詩（句）」是日本特有的文化。短短的詩句中可以感受到無可譬喻的深奧。

本書並徹底解說日本人是如何面對死亡。讀著眾人的辭世詩，感覺似乎能領會日本人的精神史。

# 第7章

# 如何閱讀艱澀的書?

# 09 大膽選擇經典閱讀

**不僅是書，電影、漫畫、繪畫、音樂等領域都有各自被稱為名著的作品。一流的作品具有非凡的力量。**

即使不是古典樂迷，我想也曾聽過韋瓦第的「四季」。由春、夏、秋、冬四首曲子組成的「四季」於一七二五年問世。十八世紀末到十九世紀末的大約一百年間為世人所遺忘，但一九四九年樂譜重新被人發掘、出版。義大利室內樂團「I Music」演奏這首曲子，使它在日本急速竄紅，並成為最受歡迎的古典名曲之一。

「春」很有名，但東京電視台轉播法網公開賽一直是使用「夏」。一聽到帶有速度感和劇戲張力的小提琴旋律，那紅土場上的激烈戰事便在腦中逐漸甦醒。

重新聆聽「四季」，我忍不住要為那依然能打動現代人的作曲功力驚嘆。啊！音樂竟能表達出如此深刻的意境？竟能用這樣的方式表現季節？我不是作曲家，連演奏家也不是，但我確實聽得出音樂的美好。因而覺得活在這世上、活在這個時代，能遇見韋瓦第的音樂真好。

相信也有許多人很慶幸能接觸到莫札特、巴哈這些偉大作曲家的作品。一流的作品能帶給人莫大的感動。

而當我們想聽聽看這位偉大作曲家的其他所有作品時，會再度為其作品之多感到折服。韋瓦第除了創作出超過五百首的協奏曲，還有歌劇、奏鳴曲、室內樂等各種各樣的曲目，光是主要作品集就有四十張 CD。莫札特全集則有一百七十張 CD。需要相當的時間和專注力才能全部聽完。

文學也是，坊間出版了許多偉大作家的全集，要全部讀完可不得了。恐怕會嚇呆了，懷疑自己真的有辦法讀完這麼多嗎？

逛大型書店時，是會興奮「有這麼多值得讀的書」？還是害怕「自己無論如何都讀不完」呢？如果是後者，或許會想像日本近代作家梶井基次郎的《檸檬》那樣放顆檸檬炸彈吧？發覺自己活在世上光是去認識深刻的、令人讚嘆的書時間就不夠用了，哪裡還有時間和膚淺的、淺薄的書打交道。

**想盡可能接觸一流的作品時，選擇「經典」就幾乎錯不了**。它們不只是古老，而是跨越時代為眾多人所喜愛，在歷史中受人肯定，如今依然不失其價值的作品。歷經時代變遷的考驗留存下來的作品，便具有那樣強大的力量。

## 讀書不需要才華

**寫出一流的書需要有才華，但讀書不需要才華**。正如我先前已談過的，所有人原本就具備求知的好奇心。所有小孩都喜歡看書。只是隨著成長而漸漸遠離書本，但確實都具有讀書的潛力。**一旦養成讀書的習慣，讀起書來就會愈來愈輕鬆。而且能漸漸**

**深化思考、知識和人格**。

《百人一首》＊中有一首詩是：「和與你幽會後此刻這種苦悶的心情相比，以前的思慮根本不算什麼。」（權中納言敦忠），若仿照這首詩來比擬這樣的心情，就是「從開始閱讀後的現在看來，以前根本沒在思慮」。

而且，也不太需要花錢。以前的時代得大費周章才能擁有一本書。《福翁自傳》中有一段寫到，福澤諭吉因為荷蘭的原文書太貴實在買不起，便向別人借來，不眠不休地將整本抄寫下來。而據說博物學家南方熊楠每次拜訪藏書眾多的人家就會把書讀完之後記在腦中，回到家再寫下來。

現在不用這麼做就能以便宜的價格輕輕鬆鬆地擁有書。說現在這時代讀書幾乎不要花錢並不誇張。

＊原指日本鎌倉時代歌人藤原定家私撰的和歌集。藤原定家挑選了直至《新古今和歌集》時期一百位歌人的各一首作品，彙編成集，因而得名。這份詩集今稱為《小倉百人一首》。後來，集合一百位歌人作品的一般私撰集，亦稱作「百人一首」，如《後撰百人一首》、《源氏百人一首》、《女房百人一首》等。

我也常常用 iPad Pro 讀電子書，只要購買「Kindle Unlimited」這項服務，月付一千日元左右就有十萬本以上（日文書）的書任你閱讀。

這簡直就像免費一樣。稍微有點感興趣便能開啟閱讀。於是連平常不會買的書、不認識的作家作品都會讀讀看，使得接觸面愈來愈大。由於會毫不吝惜地啪迅速讀下去，所以不擅長速讀的人是不是也能快速地閱讀呢？有時我一天可以讀完大約十本書，包括漫畫在內。

近來這類「無限閱讀服務」也愈來愈多，不限於 Kindle。即便是紙本書，也可以用便宜的價格購買二手書，或是善用既有的圖書館資源。

就算「買了卻不曾讀過」的書增加也無損身為智人的自尊心，所以就別把它放在心上吧。總比買了卻不曾穿過的鞋子、買了卻不曾用過的瘦身器材要好。

## 讀難度高的書，竟能鍛鍊專注力

讀書可以訓練專注力。閱讀文字量相當多的文章並理解其內容需要專注力。專注力一旦降低，就算逐字閱讀也完全讀不進去是不是？不習慣閱讀的人要持續保持專注很困難，也覺得「很麻煩」。

所以人們才會想讀可以不用那麼費力閱讀的輕鬆的書。所以像是透過故事大綱理解經典名著那樣，經過咀嚼消化再改寫成簡明版的書才會暢銷。原封不動的狀態會太硬，需要咀嚼能力，但一開始就把它變軟的話便讀得下去。

可想而知，老是吃軟爛的食物無法訓練出有力的下顎。漸漸變成非得請人先嚼爛才能下嚥。這樣的話，很難真正品味一流的作品。

反之，若先努力練出有力的下顎，之後就能輕鬆閱讀。

因此，我反而建議一**開始就大膽閱讀難度高的書**。起初或許有些地方無法理解，覺得繼續讀下去很痛苦而想逃走。即使如此也要先把它讀完。有時可能也需要查生字生詞，記下關鍵詞和出場人物的關係圖進行整理。若能這樣一點一點地努力把書讀完就會產生自信。

有了自信就能繼續讀下一本，然後再下一本，變得愈來愈能閱讀。應該會有「和那本比起來比較簡單」、「感覺可以很快讀完」的感覺吧？

若能不逃避地認真面對書、繼續讀下去，使專注力得到鍛鍊，對其他的嗜好、學習和工作都會有良好的效果。「明明有事情想做卻遲遲沒辦法做」的情況多半與專注力有關。若能一樣一樣集中精神全力以赴，就能在很短的時間內達成目標，最後閒暇時間也增多。時間增多，便更能去做自己想做的事。

我除了在大學任教，還在電視台工作、寫書，同時每天大量讀書、看漫畫、看電視和電影，別人聽到都很訝異：「你哪有這麼多時間？」這也可以說是讀書培養出的專注力之賜吧？

## 高潮處要徹底變成劇中人

雖然建議各位一開始就讀原著培養自信，但我想一定會有人裹足不前。也許會心想，真的不能用「透過故事大綱讀世界文學」這類的書充數嗎？好歹也能學到一些像是教養的東西不是嗎？

這一類書籍可以讓人用很短的時間先搞清楚它是個怎樣的故事，確實方便好用。只是，文學的精采並不在故事大綱裡。故事大綱只是「知道總比不知道好」這種程度的東西。先了解故事大綱確實會比一開始就讀晦澀難懂的書要容易閱讀。從這個角度來說是可以好好利用故事大綱，但只讀故事大綱並不能從閱讀中得到體驗。

因此我想推薦給各位的是「**出聲朗讀，即使只朗讀高潮的部分也好**」。了解故事大綱之後，出聲念出重要的場景。這麼做的話，便相當接近讀書體驗。

我讓大學生和小學生朗讀數頁著名的場景，大家都表示「朗讀之後才體會到它的精采」。即使多少有些艱澀的用詞用語，但那會是一次碰觸到本質的體驗。

所謂的一流文學即意謂著其原文具有令人意想不到的力量。即便是翻譯後的文章也具有不同於故事大綱的威力。一旦出聲朗讀，話語便會非常真實地朝你逼近過來。感覺是用整個身體去體驗文字的深意，而非字面的意思。若徹底把自己當成作者或劇中人物去朗讀，還可能體會到默讀時似懂非懂的心情和弦外之音。

此外，也會有種彷彿透過自己的身體聽見偉大作者的聲音之感。雖然聽見的是自己的聲音，但因話語中含有不尋常的能量，彷如作者就在眼前對自己講述一般。

**用話劇式誇張的語調朗讀會有更加深刻的體驗**。演技不好也沒關係，就是徹底扮演作者或劇中人。真的以為自己是作者或劇中人很重要。模仿是學習的根本。藉由模仿的方式閱讀一流作品可獲得深刻的學習。

## 在書本、電視劇、電影、漫畫間轉來轉去

如果只是部分的話，相信所有人都讀過《源氏物語》。它絕對是日本最精采的一部文學作品，同時必定收錄在國語的教科書中。

可是要讀完整本相當不容易。

將源氏物語改編成漫畫，累計銷售超過一千七百萬冊的是大和和紀小姐。讀過源氏物語原著的人或許不多，但漫畫版《源氏物語》卻獲得這麼多人的閱讀、喜愛，這是非常好的事。作品的品質很高，並能充分感受到源氏物語的優秀。能夠讀到好的作品非常重要，即便那是漫畫。

不僅是《源氏物語》，許多令人難以親近的名著已紛紛被改編成漫畫。杜斯妥也夫斯基的《卡拉馬助夫兄弟們》、《罪與罰》也可以讀到漫畫版。雖然與文字閱讀的體驗不同，但應該是非常好的入門磚。

透過漫畫熟悉了那個世界，就能順利走進去。也許還會想要朗讀看看，即使只朗

讀自己喜歡的場面。

我也非常喜歡漫畫，看過許多漫畫。

書和漫畫並非不能同時存在。兩者之間是「和」（and），不是「或」（or）的關係。書和漫畫都看就行了。讀書量多的人有同時大量閱讀漫畫的傾向。會讀書的人專注力可以持續，因此也能大量閱讀漫畫。

**如同書本會創造出一個世界，漫畫、電影和電視劇也都有其各自的世界。每個世界都擁有不同的特質。因此若能全部都看，我覺得很好。**

我會去看由小說翻拍成的電影，也會讀電影的原著劇本。還有許多由漫畫改編成的電視劇是吧？我兩者都看，然後感嘆：「原來這部漫畫是這樣拍成連續劇的」、「原來是用這樣的手法拍攝這麼複雜的一幕」之類的。

要走進書本、漫畫、電影、電視劇各自的世界中，轉來轉去逐漸挖掘其深意。

由日本漫畫家古屋兔丸創作的《帝一之國》是一部非常有意思的漫畫。講述懷抱「成為首相，打造自己的國家」野心的主人翁赤場帝一，為競選高中超級名校的學生會會長而奮不顧身的故事，是一部校園喜劇。由這部漫畫改編成的電影*完整保留了漫畫獨特的世界觀，我看了不禁嘆服：「改編得真好。」

兔丸先生還把太宰治的《人間失格》畫成漫畫。細致地描繪出主人翁葉藏的心理轉折，是非常出色的作品。看過這部漫畫，說不定會有更深一層的體會，而想要重讀小說。

順帶一提，我曾經見過兔丸先生和他有過交談。他說他一整天都站著畫漫畫，令我大為驚訝。他竟然連續站十個小時以上，用那樣的姿勢創造出那細致的作品。我當時有個感想：「這人不是普通人」。

書也是如此；但漫畫的厲害在於漫畫家是自己獨力創造一個世界。花費很長的時

---

*二〇一七年四月上映，導演：永井聰。

間，孤獨地動筆作畫，創造出作品中的世界。而讀者會覺得彷彿閱讀漫畫的自己能與作者共享那份孤獨感一般。我感覺漫畫具有這樣的妙處。

## 有「不懂」的地方沒關係

資訊類書籍用淺顯易懂的方式講解人們不太明瞭的事物，會帶給人「原來是這樣啊」的暢快感。鎖定主題，內容精簡、有條理的新書系列等非常適合「暢快式閱讀」。雖然有各種難易度，但基本上論點清楚明確，會頻頻點頭：「是這樣啊，原來如此！」一直讀下去。適合速讀的就是這一類型的書。

另外，以解謎為主的推理小說在複雜的謎團被解開時也會很暢快：「原來是這麼回事」，並感到有趣。

這種暢快感也是讀書的樂趣之一。

另一方面，也有不暢快的閱讀。有些書確實可以作各種解讀，解釋會因人而異是吧？或者是那種有些部分對此刻的自己來說很晦澀難懂，因而感覺不痛快的書。

比方說，讀尼采的《查拉圖斯特如是說》，我想會有些不太明白的部分。這種情況是現在的自己還參不透，和覺得完全莫名其妙是兩回事對吧？從參透的部分推想，應該會感覺到那部分一定很深刻。就是還有很深很深的意含。

隔一段時間之後重讀，可能就會理解或領會過去參不透的部分。好的作品就是有這樣的深度。每讀一次都會有新發現。

也可能雖然不太懂，但一直擱在心裡難以釋懷，某一天便忽然領悟：「原來是這樣的意思」。

**不痛快的感覺也是一種讀書的樂趣。有不明白的部分也沒關係。**

# 讀經典賞玩佳句——「名句選讀」

To be, or not to be：that is the question.（應當活下去，還是應當赴死，這是個問題。）

這是《哈姆雷特》中的名言。不知道哈姆雷特的人應該也聽過這句話。

經典名著中必定有名言佳句。若以「選讀」的方式找出那句名言來閱讀，那麼經典也不足懼。雖然是片段式的閱讀，但經典的精神就藏在那些片段中。與其用「必須全部讀完」這種強迫性的觀念導致人遠離經典，不如先放輕鬆地親近經典、碰觸其精神還比較重要。「啊，在這裡。原來如此，是在這樣脈絡下出現的」。找到之後就把那句話圈起來，增加存在感。「我的書裡有那句名言」的認知增強後，便會有種「已讀過的感覺」。相信引用時也能大大方方地引用。

《論語》中也有許多名言，比如「子曰，學而不思則罔。思而不學則怠」、「過猶不及」、「見義不為，無勇也」等。

像這樣，若能找出三句名言就算通過。即使沒全部讀完，那名言也會內化成自己的一部分。能夠好好運用。如果根本不知道有什麼名言佳句，那就先讀導覽解說書吧。

**想讀外文書時，「選讀」的方式也很管用。把已有中文版的書先大略讀過，只讀一章也行，並在覺得有意思的地方畫線**。不妨分成紅、藍、綠大約三種顏色的線，會比較方便搜尋。

接著在原書中尋找畫線的部分。若找到相符的文字，就用同樣的顏色畫線。完全找不到的話，也許是你的外語能力尚未達到讀原文書的程度。若多少能看懂，應該就能找到：「啊，這就是那句話！」每讀一章便重複這個過程。

這麼一來，就好像手邊隨時有本外文書。既有「已讀過的感覺」，又覺得神氣。請多多上外文書店裝酷吧。

覺得「自己讀過這本書好酷」，對養成讀書習慣也很重要。

等人時，翻開外文書、經典、新書閱讀。重讀選讀的片段也可以。或是在咖啡店裡好整以暇地閱讀。我覺得這樣的人好酷，書是人緣好的必備道具。

## 「沉浸式閱讀」和「批判式閱讀」

**讀書是一種藉由讓作者和劇中人的世界深入自己內在，以達到豐富自己人生的方法。讀書可以豐富我們的內在世界。**

但另一方面，也存在內心被他人滲透的可怕一面。要是讀遠比自己具有思考能力的人的想法，被那人滲透的話……，說不定會受到影響，以至於失去自我。一旦用錯誤的方法讀書，可能會有危險。

現在被視為名著不斷為人閱讀的書中，也有許多在歷史上曾被當作禁書禁止出版的例子。秦始皇等統治者以儒家有礙治國為由，燒毀書簡，將具批判性的儒學學者活埋。即所謂的「焚書坑儒」。書就是具有這等可怕的力量。

讀一本書要花費一定程度的時間。意思就是作者花那樣多的時間在你腦中持續對你講述。當你沉浸在書中的世界，就是進入分不清自己和作者的狀態，你能夠完全仿照作者的思想，使用作者的話語也是一個重點。在那樣的狀態下就是這麼容易受到影響，而且是如此深層的影響。

這樣想來便會覺得，有些情況確實也需要「批判式閱讀」。

不過要注意的是，並**不是任何書都採取批判式、重點式閱讀，思考力就會加深。先原原本本地接受作者的思想、世界觀，收穫肯定更大。**

「沉浸式閱讀」也有它的好處，可藉由沉浸在書中的世界使思考更深入。在那樣的基礎上再做批判式閱讀。就像是稍微抽離出來從外面觀看的感覺。這樣的視角其實會在閱讀各式各樣的書的過程中自然而然養成。

如果對某一位作家投入太深，只讀那位作家的作品，視角無論如何就是容易偏頗。只接受某一位作家，思考想必也不會加深。經常讀不同類型作家的作品，或不同領域的書，就能同時保有多種視角，並能取得平衡。

一旦具備這樣平衡的視角，慢慢就能做到沉浸書中也不忘批判的閱讀。

我時常會問年輕人愛讀什麼書。有一次得到《希特勒我的奮鬥》（*Mein Kampf*）這樣的回答，我沉吟一聲，只說「這樣啊……」便語塞。它確實是名著，但在眾多書中硬是選擇這本，我不得不感到這樣的閱讀已走偏了。

## 雖然艱澀依然要挑戰的十本不朽名著

### 《謹譯源氏物語》紫式部

日本文學的巔峰之作。原文很棘手，所以建議先從容易閱讀的現代語譯本欣賞其故事，之後再品味原文。這本是由國學家，同時也是作家的林望先生所著的正確且有美感的現代語譯本。

若是這本應該能全部讀完；即使這樣還是可能半途而廢的人，請試著從〈若菜〉（第六卷）讀起。〈若菜〉近似近代小說，將出場人物的心理描寫得極為精妙。源氏約莫四十歲。敘述一直以來始終光鮮亮麗、千年一見的萬人迷源氏，因果報應、苦惱不斷的人生劇場。大塚光的筑摩文庫版譯文也很容易閱讀，讀起來非常愉快。

**《論語物語》下村湖人**

小說家下村湖人利用《論語》的章句，以孔子和弟子們的故事形式構成本書。單看《論語》的原文，或許很難真實地想像出孔子這個人。可是當作故事來看，孔子的性格立刻清楚浮現。也可以看出弟子們的個性，很有意思。

不妨連同中島敦的短編小說《弟子》一併閱讀。書中將孔子弟子子路的一生，和老是被單純而缺乏遠慮的子路為難卻依然愛他的孔子間的關係，描寫得極富人情味。

**《論語和算盤》澀澤榮一**

澀澤榮一是參與國立銀行及五百家以上企業的設立，被稱為「日本資本主義之父」的大企業家。澀澤榮一案頭常備的書就是《論語》。「我決定一生信奉《論語》的教誨」，他將一般普遍認為與經濟相距甚遠的《論語》應用在商業和企業經營上，以《論語》中的話為信念加以活用。這是將經典拉近自身經驗作思考，並應用在人生上的成功案例。

能夠了解獲得巨大成功的日本企業家澀澤榮一的思想骨幹也很有助益。

### 《漫畫老莊三千年的智慧》蔡志忠

提倡「無為自然」的老莊思想，與提倡在人類真實社會中生存之道的孔子教誨呈鮮明對比，希望各位也要有所認識。這本書先將《老子》、《莊子》翻譯成現代日語，再用漫畫的形式介紹。本書已被翻譯成多國語言。老莊對日本人來說是很容易親近的思想，但原文畢竟難度太高，所以建議先從這本讀起。

「大器晚成」、「無用之用」等大家熟知的詞語其實也出自老莊之言。書中還有「道」等的深奧概念，請不要卯足全力閱讀，而要放輕鬆細細體會。

### 《口語譯古事記「完整版」》三浦佑之

《古事記》是寫於八世紀初的日本最古老的史書（也有不同見解），同時也是文學。與《日本書紀》同為天武天皇下令編纂而成，用意在顯示天皇家統治的正當性。但與《日本書紀》不同的是，《古事記》並沒有頌揚天皇家，有些部分反而還感覺抱持懷疑，這也是它迷人之處。以大國主命為核心的出雲系諸神，和以天照大神為首的天孫系原本就存在對立的關係，但書中多次提到大國主命，很有意思。本書不但有容易閱讀的現代語翻譯，還加上詳細的注釋。

### 《你知道舊約聖經嗎？》阿刀田高

聖經對了解西洋文化不可或缺。新約聖經是基督教的宗教經典；舊約聖經則是猶太教的宗教經典（也是基督教的經典）。是創造世界的全能的上帝耶和華，與以色列之民的契約和交流的故事。本書將創造天地、伊甸園、該隱與亞伯、諾亞方舟等大眾熟悉的故事，包括約伯記、利末記、以賽亞書這一類有點不好閱讀的部分，都改寫成有趣的小故事。

同一系列還有《你知道希臘神話嗎？》《你知道新約聖經嗎？》《你知道可蘭經

嗎？》等，請務必一併閱讀。

**《弓與禪》奧根・海瑞格**

這是德國哲學家海瑞格將他在日本拜師學習弓道，感悟到禪的深義的過程整理寫成的書。他仔細說明自己體驗到的過程，告訴我們藉由精神集中和身體的鍛鍊，如何能達到心無雜念的境界。是世界上長久以來不斷為人閱讀的日本論名著。其弓道老師阿波研造的話語之深刻自不必說，赫立格爾本身的認知力也令人讚嘆。他已盡可能以淺白的方式表達，很快就能看懂。

**《卡拉馬助夫兄弟們》杜斯妥也夫斯基**

綜合小說的最高峰。雖然不好閱讀，但讀完這本饒富興味且深刻的傑作，成本效益肯定最高。

故事從是誰殺了卡拉馬助夫家的父親這樣的懸疑開始，慢慢將讀者引入生命是什麼？如何面對欲望？上帝存在嗎？良心是什麼？這一類哲學性探問。氣質、立場、價值觀都不同，各自擁有某種「過度」性格的出場人物反覆不斷對話的大混戰。有無數知名場面。保證讓你深切體會到什麼是作為體驗的閱讀。

## 《新版徒然草附現代語翻譯》兼好法師

兼好能夠抓住本質，洞察力驚人。一則一則小故事不但具有暗示性，更洋溢著情趣和幽默。由於只有二百四十三段短句，會很想全部讀完。若能排入中學的課程就好了。請對照現代日語的譯文閱讀，發現喜歡的段落就出聲讀出原文。人生重要的事幾乎全部寫在《徒然草》裡。我想它應該是日本古文中最能直接用於現代的經典。

**《邁向自由》馬丁・路德・金恩**

這是美國民權運動領袖，以「我有一個夢」的演講著稱的金恩牧師所寫的書。一九五五年美國的蒙哥馬利發生一場大規模的黑人聯合抵制公車運動。起因是，坐在公車上白人優先座的黑人女性拒絕讓位給白人，因而遭到逮捕、拘留。成為抵制運動領導者的金恩牧師生動地說明他在運動中的體驗，和走向非暴力抵抗的哲學。是本會讓人有如聽見金恩牧師親自講述，深刻體會到當時情況的名著。

# 參考文獻


- 《最強の人生指南書　佐藤一斎「言志四録」を読む》齊藤孝／著；祥傳社新書
- 《なぜ美人ばかりが得をするのか》Nancy Etcoff／著；木村博江／譯；草思社
- 《宮本武藏》吉川英治／著；講談社
- 《折り返し点》宮崎駿／著；岩波書店
- 《西歐近代科學》村上陽一郎／著；新曜社
- 《魔女》Jules Michelet／著；篠田浩一郎／譯；岩波文庫
- 《僕らの七日間戦争》宗田理／著；角川文庫
- 《五輪書》宮本武藏／著；渡邊一郎／校注；岩波文庫
- 《風姿花傳》世阿彌／著；野上豊一郎、西尾實／校訂；岩波文庫
- 《新譯星の王子さま》Antoine de Saint-Exupéry／著；倉橋由美子／譯；寶島社

- 《發酵》小泉武夫／著，中公新書
- 《この人を見よ》Nietzsche／著，手塚富雄／譯，岩波文庫
- 《方法序說》René Descartes／著，山田弘明／譯，筑摩學藝文庫
- 《論理哲學論考》Wittgenstein／著，丘澤靜也／譯，光文社古典新譯文庫
- 《君主論》Niccolò Machiavelli／著，佐佐木毅／全譯注，講談社學術文庫
- 《饗宴》Platon／著，久保勉／譯，岩波文庫
- 《歴史とは何か》Edward Hallett Carr／著，清水幾太郎／譯，岩波新書
- 《寝ながら学べる構造主義》內田樹／著，文春新書
- 《ファスト&スロー》Daniel Kahneman／著，村井章子／譯，友野典男／解說，早川書房
- 《理科読をはじめよ》瀧川洋二／編，岩波書店
- 《世界がわかる理系の名著》鎌田浩毅／著，文春新書
- 《文系のための理系読書術》齋藤孝／著，集英社文庫
- 《子供孫子の兵法》齋藤孝／監修，日本圖書中心
- 《二十一世紀の資本》Thomas Piketty／著，山形浩生、守岡櫻、森本正史／譯，美鈴書房

- 《E = mc$^2$》David Bodanis／著；伊藤文英、高橋知子、吉田三知世／譯；早川書房
- 《ソロモンの指環》Konrad Lorenz／著；日高敏隆／譯；川書房
- 《宇宙はなんでできているのか》村山齊／著；幻冬舎新書
- 《日本思想全史》清水正之／著；筑摩新書
- 《常用字解〔第二版〕》白川靜／著；平凡社
- 《アイヌ文化の基礎知識》アイヌ民族博物館／監修；兒島恭子／増補、改訂版監修；草風館
- 《欲望の民主主義》丸山俊一＋ＮＨＫ「欲望的民主主義」製作班著；幻冬舎新書
- 《資本主義の終焉、その先の世界》榊原英資、水野和夫／合著；詩想社新書
- 《人類の未来》Noam Chomsky 及其他；吉成真由美／採訪、編；ＮＨＫ出版新書
- 《ホモ・デウス》Yuval Noah Harari／著；柴田裕之／譯；河出書房新社
- 《新訂福翁自傳》福澤諭吉／著；富田正文／校訂；岩波文庫
- 《山頭火俳句集》種田山頭火／著；夏石番矢／編；岩波文庫
- 《中原中也詩集》中原中也／著；大岡昇平／編；岩波文庫
- 《人間失格》太宰治／著；新潮文庫

- 《走れメロス》太宰治／著；新潮文庫
- 《オイディプス王》Sophocles／著；藤澤令夫／譯；岩波文庫
- 《フロイト全集4》新宮一成／譯；岩波書店
- 《マクベス》Shakespeare／著；福田恆存／譯；新潮文庫
- 《こころ》夏目漱石／著；新潮文庫
- 《ドン．キホーテ》Cervantes／著；牛島信明／譯；岩波文庫
- 《銀の匙》中勘助／著；岩波文庫
- 《別冊ＮＨＫ 100分de名著読書の学校　斎藤孝特別授業「銀の匙」》齋藤孝／著；ＮＨＫ出版
- 《金閣寺》三島由紀夫／著；新潮文庫
- 《東京オリンピック》講談社／編；講談社文藝文庫
- 《詩のこころを読む》茨木のり子／著；岩波青少年新書
- 《辞世の歌》松村雄二／著；和歌文學會／監修；笠間書院
- 《夜と霧》Viktor Emil Frankl／著；池田香代子／譯；美鈴書房

- 《ある明治人の記録　会津人柴五郎の遺書》石光真人／編著；中公新書
- 《謹訳　源氏物語》紫式部／著；林望／現代語譯；祥傳社
- 《論語物語》下村湖人／著；講談社學術文庫
- 《論語と算盤》澀澤榮一／著；角川 Sophia 文庫
- 《マンガ　老荘三〇〇〇年の知恵》蔡志忠／作畫；和田武司／譯；野末陳平／監修；講談社＋α文庫
- 《口語訳古事記〔完全版〕》三浦佑之／譯、注釋；文藝春秋
- 《旧約聖書を知っていますか》阿刀田高／著；新潮文庫
- 《新訳　弓と禅》Eugen Herrigel／著；魚住孝至／譯、解說；角川 Sophia 文庫
- 《カラマーゾフの兄弟》Dostoyevsky／著；原卓也／譯；新潮文庫
- 《新版徒然草現代語訳付き》兼好法師／著；小川剛生／譯注；角川 Sophia 文庫
- 《自由への大いなる歩み》M・L・King／著；雪山慶正／譯；岩波新書

翻轉學 翻轉學系列 035

# 只有讀「書」能抵達的境界

## 雖然知識、資訊唾手可得，但只有「閱讀一本書」的過程，才能鍛鍊思考力、人格與素養

讀書する人だけがたどり着ける場所

作　　者　齋藤孝
譯　　者　鍾嘉惠
總 編 輯　何玉美
主　　編　林俊安
封面設計　張天薪
內文排版　黃雅芬

出版發行　采實文化事業股份有限公司
行銷企畫　陳佩宜・黃于庭・馮羿勳・蔡雨庭
業務發行　張世明・林踏欣・林坤蓉・王貞玉・張惠屏
國際版權　王俐雯・林冠妤
印務採購　曾玉霞
會計行政　王雅蕙・李韶婉・簡佩鈺
法律顧問　第一國際法律事務所　余淑杏律師
電子信箱　acme@acmebook.com.tw
采實官網　www.acmebook.com.tw
采實臉書　www.facebook.com/acmebook01

I S B N　978-986-507-150-9
定　　價　320 元
初版一刷　2020 年 7 月
劃撥帳號　50148859
劃撥戶名　采實文化事業股份有限公司
104 台北市中山區南京東路二段 95 號 9 樓
電話：(02)2511-9798　傳真：(02)2571-3298

國家圖書館出版品預行編目資料

只有讀「書」能抵達的境界：雖然知識、資訊唾手可得，但只有「閱讀一本書」的過程，才能鍛鍊思考力、人格與素養 / 齋藤孝著；鍾嘉惠譯 . -- 台北市：采實文化，2020.07
208 面；14.8×21 公分 . --（翻轉學系列；35）
譯自：読書する人だけがたどり着ける場所
ISBN 978-986-507-150-9（平裝）
1. 讀書法 2. 閱讀指導
019.1　　109007452



采實出版集團
ACME PUBLISHING GROUP

翻轉學

翻轉學